ART ESSENTIALS

FRAUEN IN DER KUNST

ART ESSENTIALS

FRAUEN IN DER KUNST

—

FLAVIA FRIGERI

—

MIDAS

INHALT

EINFÜHRUNG

Frauen gehörten schon immer zu den Lieblingsmotiven in der Kunstgeschichte. Als ultimativer Inbegriff der Schönheit wurden sie unzählige Male dargestellt, doch ihre Rolle als Kunstschaffende stand immer hinter der ihrer männlichen Kollegen zurück. Erstaunt über die fehlende Anerkennung von Künstlerinnen, fragte die amerikanische Kunsthistorikerin Linda Nochlin 1971: »Warum gab es nie große Frauen in der Kunst?« Nochlins zeitgemäße Frage drückt eine gewisse Dringlichkeit aus, die von vielen kritischen Künstlerinnen, Kunsthistorikern und Kritikern unterstützt wird.

Bis zu jenem Zeitpunkt war die Kunstgeschichte von Männern dominiert, was jedoch nicht heißt, dass es keine großartigen Künstlerinnen gegeben hätte. Im Gegenteil: Frauen waren lange in der Kunst aktiv und arbeiteten ebenso intensiv wie ihre männlichen Kollegen, wenn nicht intensiver. Ihre Kunst war jedoch schwerer zu finden. Vor allem im Mittelalter, in der Renaissance und im Barock war die Kunst fast gänzlich Männern vorbehalten: Frauen mussten anonym arbeiten oder legten sich männliche Künstlernamen zu. Ihre Arbeit in von Männern geleiteten Ateliers wurde kaum oder gar nicht erwähnt. Doch wie die flämische Malerin Clara

Peeters uns mit ihren versteckten Selbstporträts in ihren Stillleben verdeutlicht, wollten Frauen sehr wohl wahrgenommen werden (Seiten 16–19).

Zwar hat sich die Lage inzwischen gebessert, doch auch 1989 fragten die feministischen Guerrilla Girls durchaus provokant: »Müssen Frauen nackt sein, um ins Met-Museum zu kommen?« (Seite 164) Frauen und ihre nackten Körper waren überall im Museum zu sehen; ihre Arbeit als Kunstschaffende wurde jedoch weiterhin zu wenig beachtet.

Beginnend mit der italienischen manieristischen Malerin Lavinia Fontana macht dieser Überblick deutlich, wie sich Frauen vom Objekt passiver Kunstbetrachtung zu aktiven Kunstschaffenden entwickelt haben. Wir konzentrieren uns hier auf über 50 Künstlerinnen vom 16. Jahrhundert bis heute, die in mehreren Kunstrichtungen verschiedenste Themen bearbeiteten. Diese breite Auswahl bietet dem Leser ein generelles Verständnis von der Rolle der Frau in der Kunstgeschichte und würdigt zugleich das Leben und Werk bemerkenswerter Künstlerinnen.

NEUE WEGE BESCHREITEN

Künstlerinnen, die zwischen 1550 und 1850 geboren wurden

-

Ihr werdet den Geist von Cäsar in der Seele dieser Frau finden.

-

Artemisia Gentileschi

LAVINIA FONTANA
1552–1614

Die italienische manieristische Malerin Lavinia Fontana gilt weithin als die erste Frau, die eine unabhängige künstlerische Laufbahn eingeschlagen hat. Ihr Vater, Prospero Fontana, war ein bekannter Maler in Bologna, der Geburtsstadt Lavinia Fontanas. Bereits in jungen Jahren pflegte Fontana ihre Leidenschaft für die Kunst und lernte die Werke von Raffael und Parmigianino kennen, während sie gleichzeitig eine solide Ausbildung durch ihren Vater genoss.

Einer von Fontanas Gönnern bemerkte einst: »Um die Wahrheit zu sagen, erhebt sich diese ausgezeichnete Malerin über den Zustand ihres Geschlechts und ist eine ganz außergewöhnliche Person.« Fontana war eine große Ausnahme in der manieristischen Szene. Sie war eine produktive Porträtmalerin und hatte durchaus Erfolg mit ihren öffentlichen und privaten Aufträgen. Ihre Altarbilder für Kirchen in Rom und Bologna verschafften ihr Anerkennung, die sonst männlichen Künstlern vorbehalten war. Heute sind viele ihrer Werke in schlechtem Zustand, doch das Gemälde *Porträt von Bianca degli Utili Maselli und sechs ihrer Kinder* (ca. 1600) verdeutlicht lebhaft Fontanas malerische Qualitäten (gegenüber). Das Porträt der Adligen Bianca degli Utili mit ihrer Tochter und ihren fünf Söhnen stellt die Frisuren und die reich bestickte Kleidung minutiös dar. Fontana bemühte sich, die Eleganz der Familie sowie die Zärtlichkeit und Vertrautheit ihres Verhältnisses zueinander festzuhalten. Sie starb 1614 in Rom und hinterließ das umfangreichste Werk einer Künstlerin vor 1700.

Lavinia Fontana
Porträt von Bianca degli Utili Maselli in einem Innenraum mit einem Hund und sechs ihrer Kinder,
ca. 1600
Öl auf Leinwand,
99 x 133,5 cm
Privatsammlung

Die beiden Jungen ganz rechts halten eine Schreibfeder und ein Tintenfass sowie ein Medaillon mit der Figur eines Ritters. Diese Objekte scheinen auf ihre späteren Berufe hinzuweisen.

WICHTIGE WERKE

- *Noli Me Tangere*, 1581, Uffizien, Florenz, Italien
- *Königin Luisa von Frankreich stellt Franz I., ihren Sohn, dem heiligen Franz von Paola vor*, 1590, Pinacoteca Nazionale, Bologna, Italien
- *Venus säugt Cupido*, 1610er, Staatliches Eremitage-Museum, St. Petersburg, Russland
- *Minerva kleidet sich an*, 1613, Galleria Borghese, Rom, Italien

WICHTIGE EREIGNISSE

- 1577 – Fontana heiratet den Künstler Paolo Zappi, der die Vorhänge in ihren Werken malte; zusammen haben sie 11 Kinder, von denen nur drei Fontana überlebten.
- 1589 – Die Künstlerin wird beauftragt, für die Kirche San Lorenzo de El Escorial in Madrid ein Altarbild der Heiligen Familie und des heiligen Johannes zu malen. Hierfür erhält sie eine üppige Bezahlung von 1.000 Dukaten.

ARTEMISIA GENTILESCHI
1593 – ca. 1652

Bis heute gilt Artemisia Gentileschi als führende Künstlerin des Barock (ca. 1600-1750), der sich durch seine Pracht und seinen Sinn für das Dramatische auszeichnet. Sie leistete einen bedeutenden Beitrag für die Kunst ihrer Zeit. Wie Fontana war sie die Tochter eines berühmten Künstlers, allerdings aus vergleichsweise bescheidener Herkunft. Um seiner Tochter eine ordentliche Ausbildung zu sichern, nahm Orazio Gentileschi die Hilfe seines Freundes und Kollegen Agostino Tassi in Anspruch. Dies hatte jedoch tragische Folgen, als jener Meister die junge Artemisia sexuell bedrängte. Weil er sein Eheversprechen brach, wurde Tassi von Orazio der Vergewaltigung angeklagt. Der Prozess war emotional verstörend für Artemisia, die öffentlich gedemütigt wurde und ihren Ruf beschädigt sah. In der Folge war sie gezwungen, Rom zu verlassen.

Kurz nach Ende des Verfahrens heiratete Gentileschi im Jahre 1611 den Florentiner Künstler Pietro Stiattesi und zog mit ihm nach Florenz. Hier schuf sie eines ihrer bekanntesten Werke, *Judith enthauptet Holofernes* (ca. 1620; Uffizien, Florenz, Italien). Entsprechend ihrer Vorliebe für biblische und mythologische Heldinnen gibt dieses Gemälde einer Frau die zentrale Rolle: Judith, die König Holofernes tötet. *Susanna und die Ältesten* (1610; gegenüber) dreht sich ebenfalls um eine starke weibliche Figur. Susanna, die die wollüstigen alten Männer abweist, wird in einem realistischen Stil dargestellt, der typisch für Gentileschis Arbeit ist. Das psychologische Drama der beiden Kompositionen wird durch den starken Kontrast von Hell und Dunkel (*Chiaroscuro*) und die eindringliche Körperhaltung noch verstärkt. In beiden Gemälden übernahm Gentileschi den Stil des italienischen Malers Caravaggio, der 22 Jahre älter war als sie und bekannt für seinen dramatischen Einsatz des *Chiaroscuro*.

Artemisia Gentileschi
Susanna und die Ältesten, 1610
Öl auf Leinwand, 178 x 125 cm
Schloss Weißenstein, Schönbornsche Kunstsammlungen, Pommersfelden

Für das zeitgenössische Publikum besonders faszinierend war Gentileschis Fähigkeit, die Zartheit und Unschuld der Susanna darzustellen, die aus dem Bad steigt – ein krasser Gegensatz zu den lüsternen Blicken der beiden Ältesten, die von oben auf sie herunterschauen.

1620 ging Gentileschi wieder zurück nach Rom, wo sie bis 1630 blieb. Anschließend ließ sie sich in Neapel nieder, das sie nur noch einmal verließ, um ihrem Vater bei der Fertigstellung der Gestaltung des Queen's House in Greenwich, London, zu helfen. Während ihres kurzen Aufenthalts in England (1638–ca. 1641) malte sie *Selbstbildnis als Allegorie der Malerei (La Pittura;* ca. 1638–1639), das in die Sammlung von König Karl I. aufgenommen wurde. Die Protagonistin dieser Arbeit ist eine halb idealisierte Verkörperung der Kunst, die traditionell mit Artemisia selbst gleichgesetzt wird. Mit einem Pinsel in der einen und einer Palette in der anderen Hand ist die Allegorie der Malerei trotz der anspruchsvollen Pose der Figur kunstvoll dargestellt. Man kann Artemisias Entschlossenheit, ihre Rolle als professionelle Künstlerin zu behaupten, als beispielhaft für die Kämpfe ansehen, die nachfolgende Generationen von Künstlerinnen auszufechten hatten. In einem Brief an ihren Gönner Don Antonio Ruffo di Calabria merkte Gentileschi an: »Solange ich lebe, werde ich die Kontrolle über mein Sein haben«, und das ist genau die Regel, nach der sie bis zum Ende ihres Lebens lebte.

Artemisia Gentileschi
Selbstbildnis als Allegorie der Malerei (La Pittura),
ca. 1638–1639
Öl auf Leinwand,
98,6 x 75,2 cm
Royal Collection Trust

Diese allegorische Darstellung der Malerei basiert auf den Konventionen, die der Ikonograph Cesare Ripa in seinem Handbuch *Iconologia* festgelegt hat (1593; illustrierte Ausgabe 1603), einer Referenz für viele Künstler der damaligen Zeit.

WICHTIGE WERKE

- *Die reuige Magdalena*, ca. 1619–1620, Palazzo Pitti, Florenz, Italien
- *Die Geburt Johannes des Täufers*, ca. 1635, Museo del Prado, Madrid, Spanien
- *Esther vor Ahasver*, ohne Datierung, The Metropolitan Museum of Art, New York, USA

WICHTIGE EREIGNISSE

- ca. 1616 – Mithilfe der Unterstützung machtvoller Gönner und Künstlerkollegen wird Gentileschi als erste Frau zur Accademia dell'Arte del Disegno von Florenz zugelassen.
- 1617 – Sie gehört zu den Künstlern, die eingestellt werden, um die Casa Buonarroti in Florenz auszumalen.
- 2002 – Der Palazzo Venezia in Rom und anschließend das Metropolitan Museum of Art in New York zeigen eine Ausstellung mit dem Titel »Orazio und Artemisia Gentileschi: Vater und Tochter – Maler im barocken Italien«, in der das Werk von Artemisia in Beziehung zu dem ihres Vaters Orazio gesetzt wird.

CLARA PEETERS
1607–1621

Vasen mit Blumen, aufwendig dekorierte Kelche, Artischocken, Fische und Krebse, handgeflochtene Körbe, Trauben und Krüge – all das sind nur einige der Objekte in Clara Peeters' kunstvoll gefertigten Stillleben. Obwohl ein Schleier des Geheimnisvollen Peeters' Leben und ihren künstlerischen Werdegang umgibt, zählt sie weithin zu den Vorreitern der flämischen Stilllebenmalerei.

Peeters' früheste Gemälde stammen aus den Jahren 1607 und 1608. Das Können, das sie mit diesen minutiösen Darstellungen von Speisen und Getränken demonstriert, legt nahe, dass sie bei einem Meister ausgebildet wurde – möglicherweise war Osias Beert, ein anerkannter Maler von Stillleben aus Antwerpen, ihr Mentor. Die meisten ihrer Stillleben zeigen üppig gedeckte Tische, unterstützt durch ihre geschickte Interpretation von Strukturen und Licht.

In *Stillleben mit Fischen und Katze* (nach 1620; gegenüber) ist das Terracotta-Sieb bis oben hin gefüllt mit sorgfältig gemalten Fischen, während die Katze stolz ihre Beute festkrallt. Peeters' Umgang mit Texturen – vom weichen Fell der Katze bis zu den Schuppen der Fische und dem glänzenden Silbertablett mit seinen Reflexionen – ist bemerkenswert. Glänzende, spiegelnde Oberflächen, wie das Tablett in diesem Werk und der Zinnkrug in *Stillleben mit Blumen, goldenem Kelch, Mandeln, getrockneten Früchten, Bonbons, Keksen, Wein und einem Zinnkrug* (1611; umseitig), hatten besondere Bedeutung für Peeters. Die Künstlerin versteckte meist ein kleines Extra in Form winziger Selbstporträts auf den glänzenden Oberflächen in ihren Stillleben. Wenn man also genau hinschaut, kann man in dem Zinnkrug einen Blick auf Peeters erhaschen. Die Illusion des Gemäldes wird durch diese versteckten Selbstporträts unterstützt, die außerdem den Status der Künstlerinnen zu dieser Zeit infrage stellen. Indem sie ihr Bild in ihr Werk aufnahm, sorgte Peeters dafür, dass sie gesehen und ihre Arbeit anerkannt wurde. Nur etwa 40 von Peeters' Gemälden haben bis heute überlebt.

Clara Peeters
Stillleben mit Fischen und Katze, nach 1620
Öl auf Holztafel,
34,3 x 47 cm
National Museum of Women in the Arts, Washington, USA

Ungeachtet des friedvollen Charakters des Stilllebens schafft es Peeters, dem Ganzen eine gewisse Dramatik zu verleihen, indem sie hell erleuchtete Bereiche mit dunkleren abwechselt.

WICHTIGES WERK

- *Stillleben mit Blumen, Kelchen und Muscheln*, 1612, Staatliche Kunsthalle, Karlsruhe, Deutschland

WICHTIGE EREIGNISSE

- 31. Mai 1639 – Mit 45 Jahren hat Peeters mutmaßlich Hendrick Joossen in Antwerpen geheiratet.
- 2016 – Das 200 Jahre alte Museo del Prado in Madrid organisiert eine Einzelausstellung mit Clara Peeters' Werk – die erste in der Geschichte des Museums, die einer Künstlerin gewidmet ist.

Clara Peeters
Stillleben mit Blumen, goldenem Kelch, Mandeln, getrockneten Früchten, Bonbons, Keksen, Wein und einem Zinnkrug, 1611
Öl auf Holztafel,
52 x 73 cm
Museo del Prado, Madrid

Durch die akkuraten Konturen und feinen Lichteffekte erreicht Peeters eine unglaubliche Lebensechtheit; die sorgfältig gemalten Blumen erinnern an frühe wissenschaftliche Illustrationen. In dem Zinnkrug kann man winzige Selbstporträts erkennen.

ROSALBA CARRIERA
1675–1757

Rosalba Carriera war eine einflussreiche Miniatur- und Pastellmalerin. Ihre Werke sind durchdrungen vom bezaubernden und zarten Wesen des Rokoko und sie ist berühmt für ihre Fähigkeit, die Individualität ihrer Modelle zu erfassen.

Geboren in Venedig als Tochter eines Beamten und einer Spitzenklöpplerin, schuf sich Carriera zunächst einen Namen, indem sie Schnupftabakdosen für Venedigs blühenden Souvenirmarkt bemalte. Carrieras Verarbeitung dieser Erinnerungsstücke war so außergewöhnlich, dass sie schon bald als talentierte Künstlerin gepriesen wurde. Sie wandte sich dann der Miniaturenmalerei zu, die ihren Erfolg fortsetzte und ihr Zutritt zur angesehenen Accademia di San Luca in Rom verschaffte. 1703 jedoch begann sie mit dem für sie erfolgreichsten Medium zu arbeiten: Pastell-Porträtmalerei. Carrieras grüblerische und dennoch zarte Porträts zeigen die glänzenden und koketten Merkmale der Rokoko-Malerei.

Ein entscheidender Augenblick in Carrieras Laufbahn kam 1716, als sie den Pariser Bankier und Kunstsammler Pierre Crozat bei dessen Italienbesuch kennenlernte. Crozat lud Carriera nach Paris ein und führte sie in die Pariser Kunstszene und am königlichen Hof ein, wo ihre Arbeiten verehrt wurden. Hier traf sie den Rokoko-Meister Jean-Antoine Watteau. Die beiden Künstler führten schon bald lange Gespräche über Farbe und Form. Als Zeichen dieser neu gefundenen Freundschaft malte Carriera ein Porträt von Watteau kurz vor seinem Tod.

Angespannt von dem anstrengenden gesellschaftlichen Leben in Paris kehrte Carriera 1721 nach Venedig zurück. Mit Ausnahme von Besuchen in Modena im Jahre 1723 und Wien im Jahre 1730, um für Kaiser Karl VI. zu arbeiten, verließ sie Venedig und das Haus der Familie am Canale Grande, wo sie mit ihrer verwitweten Mutter und ihren Schwestern lebte, nur noch selten. Als strenge und schwer arbeitende Künstlern verschrieb sich Carriera fast völlig ihrer Kunst.

Rosalba Carriera
Eine Muse, Mitte der 1720er-Jahre
Pastell auf geripptem blauem Papier, 31 x 26 cm
J. Paul Getty Museum, Los Angeles

Die subtile Mischung der Pastelle vor dem dunklen Hintergrund verstärkt das Ätherische dieses Porträts einer nicht näher benannten Muse. Sie neigt ihren Kopf, um ihre Porzellanhaut zu enthüllen, die von einem zarten Gewebe liebkost wird. Carriera war sehr eigen in Bezug auf ihre Pastellkreiden und ließ ihre Farben häufig speziell für ihre Anforderungen herstellen.

WICHTIGE EREIGNISSE

- 1712 – Carriera trifft August III., Kurfürst von Sachsen und König von Polen. Er wird die größte Sammlung ihrer Werke zusammentragen, darunter mehr als 150 Pastelle und Miniaturen.
- 1720 – Die Künstlerin wird Ehrenmitglied der Académie Royale de la Peinture et de Sculpture in Paris.

ANGELIKA KAUFFMANN

1741–1807

Angelika Kauffmann
Angelika Kauffmann,
ca. 1770–1775
Öl auf Leinwand,
73,7 x 61 cm
National Portrait Gallery,
London

Kauffmann fertigte in ihrem Leben viele Selbstbildnisse an. In dieser raffinierten Komposition ist die Malerin ganz zwanglos bei der Arbeit dargestellt, mit einem Skizzenbuch und einem Pinsel.

Die im schweizerischen Chur geborene Angelika Kauffmann war die Tochter des Porträt- und Freskenmalers Joseph Johann Kauffmann. Schon als Kind wurde ihr Talent erkannt. Sie sprach fließend vier Sprachen, war eine talentierte Sängerin, half ihrem Vater bei der Ausgestaltung von Kirchen und malte bereits vor Erreichen ihres 15. Lebensjahres mehrere Porträts. 1762 reiste Kauffmann mit ihrem Vater nach Florenz und zog im folgenden Jahr mit ihm nach Rom, das damals das Zentrum des Klassizismus war. Dort schuf sich Kauffmann selbst einen Namen und konnte sich Aufträge von vornehmen Reisenden, die die Stadt auf ihrer Grand Tour besuchten, sowie von einheimischen Römern sichern.

Was Kauffmann von den meisten Künstlerinnen ihrer Zeit unterschied, war ihr Wunsch, Historienmalerin zu werden – dieses Genre war üblicherweise den Männern vorbehalten. Bisher hatten Frauen meist entweder Porträts oder Stillleben gemalt. 1765 verließ Kauffmann Rom und reiste nach Venedig, wo sie die Frau eines englischen Diplomaten kennenlernte, die sie nach England einlud. Im folgenden Jahr trennte sie sich zum ersten Mal von ihrem Vater und ging nach London, wo sie die nächsten 15 Jahre blieb. Sie richtete sich schnell ein, war Teil eines lebhaften Milieus, in dem sie eine Reihe von Porträts schuf, mit denen sie ihren Lebensunterhalt verdiente. In London gewann Kauffmann außerdem die enge Freundschaft des führenden Porträtmalers dieser Zeit, Sir Joshua Reynolds. Der Künstler unterstützte ihre Arbeit und als Zeichen ihrer Freundschaft malten sie Porträts voneinander.

Gemeinsam mit ihrer Künstlerkollegin Mary Moser gehörte Kauffmann zu den Gründungsmitgliedern der Royal Academy of Arts in London (1768). Diese prestigeträchtige Mitgliedschaft ist Zeugnis für Kauffmanns Erfolg und ihre Fähigkeit, sich als Historien- und Porträtmalerin zu etablieren. Bei der Eröffnung der Academy im Jahre 1769 wurden vier von Kauffmanns Gemälden ausgestellt. 1778 erhielt Kauffmann einen weiteren Auftrag von der Academy und wurde eingeladen, vier große allegorische Gemälde für das neu gestaltete Auditorium anzufertigen. Dies bleibt ihr erfolgreichster Gestaltungsauftrag. Kauffmann näherte sich der Historienmalerei aus Sicht einer Frau: Ihre Motive waren meist Heldinnen aus klassischen Quellen. Inzwischen hatte sie eine komfortable finanzielle Stellung erreicht. Ihre Projekte umfassten Malerei, Buchillustrationen, Miniaturen und die Ausgestaltung des Montagu House in Portman Square, Mayfair, London, entworfen vom Architekten James »Athenian« Stuart.

1781 heiratete Kauffmann den venezianischen Maler Antonio Zucchi und verließ mit ihm England. Anschließend lebte sie vor allem in Italien, abwechselnd in Venedig, Rom und Neapel. Inzwischen hatte sie internationalen Ruhm erlangt und war weithin bekannt. Auf der Grundlage ihrer Werke entstanden zahllose Gravuren und Reproduktionen.

Nach 1795 erschwerten es die Napoleonischen Kriege Kauffmann, in Italien ausländische Aufträge zu bekommen, sodass sie gezwungen war, ihr Arbeitspensum zu verringern. Dennoch blieb sie eine zentrale Figur der römischen Gesellschaft. Da sie fließend italienisch, französisch, englisch und deutsch sprach, war ihr Atelier ein Treffpunkt für europäische Aristokraten auf deren Grand Tour sowie Kunsthändler, Künstler und Schriftsteller, darunter auch Johann Wolfgang von Goethe. Kauffmann starb 1807 in Rom. Sie hinterließ ein Opus aus etwa 500 Werken, von denen sich ungefähr 200 heute noch ermitteln lassen, und zählt zu den besten Vertretern des Klassizismus.

WICHTIGE WERKE

- *Porträt einer Lady*, ca. 1775, Tate, London, Großbritannien
- *Selbstbildnis mit Reißfeder und Zeichenmappe*, 1784, Neue Pinakothek, München
- *Selbstbildnis am Scheideweg zwischen Musik und Malerei*, 1792, Puschkin-Museum, Moskau, Russland

WICHTIGE EREIGNISSE

- 1775 – Kauffmann verhindert die Ausstellung von Nathaniel Hones Gemälde »*The Conjurer« in der* »Summer Exhibition« der Royal Academy. Das Gemälde spielte auf die angebliche Affäre zwischen Kauffmann und dem englischen Maler Sir Joshua Reynolds an, der 18 Jahre älter war als sie.
- 1807 – Der bekannte Bildhauer Antonio Canova organisiert Kauffmanns Beisetzung nach dem Beispiel von Raffaels Totenfeier. An dem Trauerzug nahmen auch Mitglieder der vielen Akademien teil, denen Kauffmann angehörte.

Angelika Kauffmann
Design an der Decke des zentralen Saales der Royal Academy,
1778–1780
Öl auf Leinwand,
130 x 150,3 cm
Royal Academy of Arts, London

***Design* ist eines von vier großen ovalen Deckengemälden, gewidmet den Elementen der Kunst und in Auftrag gegeben von der Royal Academy für den neuen Versammlungssaal. Das Set – zu dem auch *Invention*, *Composition* und *Colour* gehörte – sollte eine visuelle Repräsentation der Theorien darstellen, die Reynolds in seinem Buch *Discourses on Art* entwickelt hatte. Jedes Bild zeigt eine weibliche Figur, die die verschiedenen künstlerischen Eigenschaften verkörpert.**

ÉLISABETH-LOUISE VIGÉE LE BRUN
1755–1842

Die schon als Kind außergewöhnlich talentierte Élisabeth-Louise Vigée Le Brun war eine berühmte Porträtmalerin für die Aristokratie. Ihr Erfolg war ungeheuer und nur vergleichbar dem ihrer Zeitgenössin Angelika Kauffmann. Geboren in Paris, wurde Vigée Le Brun im Alter von sechs bis elf Jahren in einem französischen Konvent unterrichtet. Hier entdeckte sie ihr Interesse am Zeichnen. Ihr Vater, Louis Vigée, ein Porträtmaler, begann die künstlerische Ausbildung seiner Tochter und stellte sie seinen Künstlerfreunden vor, die die junge Vigée Le Brun nach seinem Tod ermutigten, ihr Studium der Malerei fortzusetzen.

Schon mit 15 Jahren übernahm Vigée Le Brun die finanzielle Verantwortung für ihre Familie und sorgte für ihre verwitwete Mutter und ihren jüngeren Bruder. Bereits zu dieser Zeit malte sie Porträts von Mitgliedern der internationalen Aristokratie, darunter Graf Schuwalow, Gräfin de Brionne und die Fürstin von Lothringen. Nach dem Erfolg dieser frühen Werke wurde sie nach Versailles eingeladen, wo sie 1776 ein Porträt des Bruders des Königs, genannt »Monsieur«, malte. Ihr Durchbruch kam jedoch 1778, als sie zum ersten Mal die französische Königin Marie Antoinette traf. Vigée Le Brun wurde bald zur Lieblingskünstlerin der Königin und malte mehr als 20 Bilder von Marie Antoinette und ihren Kindern.

1776 heiratete sie den Künstler und Kunsthändler Jean-Baptiste-Pierre Le Brun, dessen Spielsucht eine schwere Bürde für ihre Finanzen darstellte. Mit dem Ausbruch der Französischen Revolution war Vigée Le Brun gezwungen, aus Paris zu fliehen. Sie reiste nach Italien, wo sie von 1790 bis 1793 blieb. Dann ging sie für zwei Jahre nach Wien, bevor sie 1795 nach St. Petersburg zog, wo sie sechs Jahre unter der Schirmherrschaft von Katharina der Großen lebte. 1801 kehrte sie nach Paris zurück, reiste aber bald darauf nach London und dann in die Schweiz. Erschöpft von diesem Nomadenleben ließ Vigée Le Brun sich 1802 endgültig in Paris nieder. Sie hinterließ etwa 800 Gemälde, die meisten davon Porträts.

Élisabeth-Louise Vigée Le Brun
Julie Le Brun als Flora, ca. 1799
Öl auf Leinwand, 129,5 x 97,8 cm
Museum of Fine Arts, St Petersburg, Florida

Dies ist ein Porträt von Vigée Le Bruns Tochter Julie, hier dargestellt als die römische Göttin Flora, die traditionell als Frühlings- und Blumenbotin galt. Vigée Le Brun neigte dazu, ihren Modellen zu schmeicheln, indem sie ihren Charme und ihre Anmut verstärkte.

WICHTIGE EREIGNISSE

- 1783 – Vigée Le Brun wird Mitglied der Académie Royale de la Peinture et de Sculpture in Paris.
- 1835–37 – Ihre Autobiografie, *»Souvenirs«*, erscheint und bietet Einblicke in ihr Leben und das ihrer vielen eleganten Modelle.

JULIA MARGARET CAMERON
1815–1879

Die britische Fotografin Julia Margaret Cameron gehört zu den einfallsreichsten Fotografen des 19. Jahrhunderts. Ihre Kompositionen waren berühmt für ihre wunderbare Inszenierung. Sie behandelte die Fotografie als eine Kunstform, in der sich das Reale und das Ideale treffen konnten.

Cameron wurde 1815 in Kalkutta (heute Kolkata) geboren, wo ihr Vater James Pattle für die britische East India Company arbeitete. Als Kind wurde sie nach Frankreich und England in die Schule geschickt. 1836 lernte Julia Margaret während einer Erholungszeit am Kap der Guten Hoffnung ihren künftigen Ehemann Charles Hay Cameron kennen, einen deutlich älteren, verwitweten Juristen und Geschäftsmann, der auf Ceylon (Sri Lanka) lebte. Zwei Jahre später heiratete das Paar; es bekam sechs Kinder und adoptierte weitere sechs. 1848 zog die Familie Cameron nach London und anschließend nach Kent, bevor sie sich auf der Isle of Wight niederließ. Hier litt Cameron an einer schweren Depression, ausgelöst durch die arbeitsbedingt langen Aufenthalte ihres Ehemannes auf Ceylon. Um ihre Mutter aufzuheitern, besorgte ihre älteste Tochter ihr eine Plattenkamera. Dieses Geschenk verlieh ihr im Alter von 48 Jahren einen neuen Daseinszweck und Cameron widmete ihre weiteren Lebensjahre der Fotografie.

Sie verwandelte den Kohlenkeller in eine Dunkelkammer und das Gewächshaus in ein Atelier. Obwohl sie nie ein kommerzielles Studio betrieb, wurde sie schon bald für ihre Porträts von Freunden, Familienmitgliedern und Dienstboten bekannt, die sie gekonnt als biblische, mythologische und literarische Figuren ausstaffierte. Zu

Julia Margaret Cameron
The Twilight Hour, 1874
Albumin-Silber-Abzug,
35,1 x 19,4 cm
J. Paul Getty Museum,
Los Angeles

Die Unmittelbarkeit, die wir heute mit der Fotografie verbinden, war zu Camerons Zeit noch nicht üblich. Ihre Fotografien waren das Ergebnis längerer Sitzungen, während derer sich die Modelle oft über das körperliche Unbehagen beklagten, das damit verbunden war.

Julia Margaret Cameron
Sir J. F. W. Herschel, 1867
Albumin-Silber-Abzug,
27,9 x 22,7 cm
J. Paul Getty Museum,
Los Angeles

Cameron, die sich in den höchsten gesellschaftlichen und intellektuellen Kreisen bewegte, lernte den Astronomen Sir John Herschel kennen, der sie in die Fotografie einführte. Sie wurden lebenslange Freunde. Hier versuchte Cameron, »die Größe des inneren als auch das Aussehen des äußeren Mannes wirklichkeitsgetreu« zu porträtieren.

den Lieblingsmotiven der Fotografin gehörten Kinder und junge Erwachsene. Diese wurden von Cameron oft für ihre einfühlsam choreografierten Darstellungen von literarischen Werken in Anspruch genommen. Sie verstärkte den dramatischen Effekt ihrer Fotografien durch den Einsatz von gedämpftem Licht und verlängerten Belichtungszeiten. Bewusst unscharf und mit Fingerabdrücken, Schlieren und Kratzern versehen, enthüllen die Bilder ganz bewusst ihr Eingreifen auf dem Weg zur fertigen Fotografie.

Angesichts ihrer melancholischen und nachdenklichen Stimmung verglich man Camerons Fotografien mit den zeitgenössischen präraffaelitischen Gemälden, vor allem denen von Frauen, wie etwa John Everett Millais' *Ophelia* (1851–1852). Cameron zog ihre Inspiration aus ihrer Zeit sowie aus der Kunst der vergangenen Jahrhunderte. Besonders einflussreich waren die Werke von Giotto, Raffael und Michelangelo, die sie durch Drucke kennenlernte.

Cameron war mit Millais und anderen Mitgliedern der Präraffaeliten persönlich bekannt, darunter Dante Gabriel Rossetti. 1865 fand Camerons erste Einzelausstellung in London statt, anschließend verkaufte sie ihre Fotografien durch die Galerie Colnaghi. 1875 zog sie nach Ceylon, wo sie Schwierigkeiten hatte, Fotomaterial zu beschaffen. Hier starb sie 1879 im Alter von 63 Jahren.

WICHTIGE WERKE

- *Paul and Virginia*, 1864, Victoria and Albert Museum, London, Großbritannien
- *I Wait* (Rachel Gurney), 1872, J. Paul Getty Museum, Los Angeles, USA

WICHTIGE EREIGNISSE

- 1865 – Das Victoria and Albert Museum, das heute eine große Sammlung von Fotos und Dokumenten der Fotografin besitzt, erwirbt acht von Camerons fotografischen Drucken.
- 1875 – Cameron illustriert Alfred Tennysons Gedichte in »*Idylls of the King*« mit ihren inszenierten Fotografien.

ROSA BONHEUR
1822–1899

Rosa Bonheur
Labourage nivernais
(Pflügen in Nivernais),
1849
Öl auf Leinwand,
133 x 260 cm
Musée d'Orsay, Paris

In diesem Werk stellt Bonheur sorgfältig die unterschiedlichen Strukturen dar – von der gepflügten Erde bis zum Fell der Kühe.

Rosa Bonheur wurde in Bordeaux geboren und führte ein nach den Maßstäben des 19. Jahrhunderts sehr extravagantes Leben. Mit 13 Jahren verließ sie die Schule, um ihrem Vater Raymond Bonheur in seinem Atelier zu helfen. Gleichzeitig besuchte sie immer wieder den Louvre, wo sie Werke skizzierte. 1841 stellte sie zum ersten Mal beim berühmten Salon in Paris aus. Ihre Bilder wurden in der Folge regelmäßig beim Salon gezeigt. Ab 1853 war sie als Malerin so gut etabliert, dass sie ihre Arbeiten künftig nicht mehr der Auswahl durch eine Jury unterwerfen musste.

Bonheurs Ruhm beruhte auf ihrer gekonnten Darstellung von Tieren. Ihre kunstvollen Kompositionen zeigen die Tiere in ihrem natürlichen Umfeld. Egal ob Kaninchen, Kühe oder Pferde – Bonheur verlieh der Tierwelt eine gewisse historische Monumentalität. Um ihrer Neigung entgegenzukommen, Tiere *in situ* zu studieren, erlaubte der Polizeipräfekt es ihr offiziell, Männerkleidung zu tragen, was damals für Frauen unüblich war.

Das Gemälde, das Bonheurs internationalen Ruf begründete, war *Der Pferdemarkt*, vorgestellt beim Salon 1853. Der Händler Ernest Gambart erwarb das Bild und startete eine erfolgreiche Kampagne, um es außerhalb Frankreichs bekannt zu machen. Zu seiner Strategie gehörte es, Stiche davon fertigen zu lassen, um es einem größeren Publikum zugänglich zu machen. Gleichzeitig sorgte er dafür, dass das Gemälde unter der Schirmherrschaft von Königin Victoria in London gezeigt wurde. Später wurde *Der Pferdemarkt* auch in den USA ausgestellt.

Von 1849 bis 1860 war Bonheur Direktorin der École Gratuite de Dessin pour les Jeunes Filles in Paris. 1860 zog sie mit ihrer Partnerin Nathalie Micas in ein kleines Schloss nahe Fontainebleau, das sie erworben hatte. Sie baute sich ein großes Atelier und hielt eine ganze Reihe von Tieren auf ihrem Anwesen, darunter zwei Löwinnen. 1864 besuchte Kaiserin Eugénie sie und im folgenden Jahr wurde Bonheur als erster Frau überhaupt das Offizierskreuz der Ehrenlegion verliehen. Kurz nach Micas' Tod lernte Bonheur die amerikanische Künstlerin Anna Klumpke kennen, die bis zu ihrem Tod am 25. Mai 1899 an ihrer Seite blieb.

WICHTIGE EREIGNISSE

- 1832 – Bereits im Alter von zehn Jahren verbrachte Bonheur täglich viele Stunden im damals noch wilden Bois de Boulogne in Paris, um Tiere zu zeichnen.
- 1893 – Bonheurs Werk wird im Woman's Building auf der »World's Columbian Exposition« in Chicago ausgestellt.

Rosa Bonheur
Brizo, der Hund eines Schäfers, 1864
Öl auf Leinwand,
46,1 x 38,4 cm
Wallace Collection,
London

Dieses Gemälde zeigt einen Otterhund, der Name Brizo bezieht sich auf die griechische Göttin, die Beschützerin der Seeleute und Fischer.

BERTHE MORISOT
1841–1895

»Ich werde [meine Unabhängigkeit] nur durch Beharrlichkeit erlangen und indem ich kein Geheimnis aus meiner Absicht mache, mich zu emanzipieren«, erklärte Berthe Morisot. Geboren in einer Familie der oberen Mittelschicht, beschritt Morisot einen für Frauen dieser Zeit radikalen Weg, als sie entschied, Künstlerin zu werden. Gemeinsam mit Claude Monet, Edgar Degas, Pierre-Auguste Renoir und Mary Cassatt (siehe S. 38–41) gehörte sie zu den impressionistischen Malern. Morisot begrüßte das Vorhaben der Gruppe, *en plein air* (im Freien) zu malen und die Unmittelbarkeit des modernen Lebens mithilfe schneller, lockerer Pinselstriche darzustellen. Die Impressionisten wollten sich mit aller Kraft von den Hierarchien und der Willkür des Salon-Systems lösen und ihre eigenen, unabhängigen Ausstellungen etablieren. Morisot spielte eine wichtige Rolle bei der Organisation der impressionistischen Veranstaltungen und nahm an sieben der acht Ausstellungen teil.

Am berühmtesten war und ist Morisot für ihre Gemälde von Frauen. Lässig posierend und zwischen Melancholie und Zärtlichkeit schwankend, verkörpern ihre Modelle den Geist der Mittelschicht des späten 19. Jahrhunderts in Frankreich.

Die Wiege (1872; gegenüber) gehört zu Morisots wichtigsten Gemälden. Es zeigt Morisots Schwester Edma Pontillon vor der Wiege ihrer Tochter Blanche, die am 23. Dezember 1871 geboren wurde. Erschöpft von der Geburt, blieb Edma zur Erholung in Paris, wo dieses Gemälde entstand. Es zeigt Edma, die sich liebevoll, aber auch besorgt über die Wiege beugt, um ihr schlafendes Baby zu beobachten. Die mütterliche Zuneigung wirkt unaufdringlich, aber zugleich bezaubernd – eine Eigenart, die zweifellos zum andauernden Erfolg von *Die Wiege* beigetragen hat. Stilistisch ist dieses Werk eine bemerkenswerte Studie von Transparenz. Von den Schleiern, die die

Berthe Morisot
Die Wiege, 1872
Öl auf Leinwand,
56 x 46,5 cm
Musée d'Orsay, Paris

Als die britische Königsfamilie im Juli 1938 Paris besuchte, wurde *Die Wiege* ausgewählt, um den Empfangssaal des Außenministeriums zu schmücken. Eine solche Wahl ist Zeugnis für die Bedeutung des Werkes in der französischen Kunst und Kultur. Der Kunsthistoriker François Thiébault-Sisson sagte, *Die Wiege* sei »das Gedicht von einer modernen Frau, geschaffen und erdacht von einer Frau«.

Berthe Morisot
Junge Frau auf dem Sofa,
ca. 1879
Öl auf Leinwand,
80,6 x 99,7 cm
The Metropolitan
Museum of Art,
New York

Dieses Gemälde gehört zu einer Serie von Porträts, jungen Frauen gewidmet, die zwischen Melancholie und Erwartung gefangen sind. Wie Morisot anmerkte, warteten diese Frauen darauf, dass der »positive Teil des Lebens« in ihnen erwachte.

Wiege im Vordergrund umgeben, bis zum Vorhang über dem Bett der Mutter ist *Die Wiege* eine Ode an die Intimität der Mutterschaft.

Junge Frau auf dem Sofa (ca. 1879; gegenüber) ist beispielhaft für die Fähigkeit der Künstlerin, das Licht und die Empfindsamkeit ihrer Modelle einzufangen. In diesem Gemälde ist das Modell eine elegant in ein hellblaues Kleid gekleidete junge Frau. Sie sitzt auf einem Sofa, neben dem sich eine blühende Pflanze befindet. Die Szene ist gleichzeitig souverän und lebhaft, ein Effekt, der durch die schnelle Ausführung und die fließende Pinselführung erzielt wird.

WICHTIGE WERKE

- *Die Schwestern*, 1869, National Gallery of Art, Washington, USA
- *Paris vom Trocadero aus gesehen*, 1872, Santa Barbara Museum of Art, Santa Barbara, USA
- *Frau bei der Toilette*, 1875–1880, Art Institute of Chicago, Chicago, USA
- *Frau und Kind im Garten*, ca. 1883–84, National Galleries of Scotland, Edinburgh, Großbritannien

WICHTIGE EREIGNISSE

- 1868 – Morisot lernt Édouard Manet kennen. Die beiden Künstler entwickeln eine dauerhafte Freundschaft und Morisot sitzt für 11 Gemälde von Manet Modell, darunter »*Der Balkon*« (1868–1869), das zu seinen bekanntesten Werken zählt.
- 1874 – Die erste von acht Ausstellungen des Impressionismus eröffnet am Boulevard des Capucines 35 in Paris in dem Atelier, das zuvor vom Fotografen Nadar benutzt wurde. Die Ausstellung zeigt Werke von Claude Monet, Edgar Degas, Pierre-Auguste Renoir, Berthe Morisot, Alfred Sisley und Camille Pissarro.

MARY CASSATT
1844–1926

Mary Stevenson Cassatt wurde in Pittsburgh, Pennsylvania, als viertes von sieben Kindern geboren. Zwischen 1851 und 1855 hielt sie sich mit ihrer Familie in Europa auf. Diese frühen Reisen und ihre kosmopolitische Erziehung beeinflussten schließlich ihre Entscheidung, sich 1874 in Paris niederzulassen, wo sie das einzige amerikanische Mitglied der Gruppe der Impressionisten wurde.

1877 lud Edgar Degas Cassatt zum ersten Mal ein, gemeinsam mit den Impressionisten auszustellen. Wie sie dem Dichter Achille Segard (ihrem ersten Biografen) später erklärte, nahm sie Degas' Einladung freudig an: »Endlich konnte ich völlig unabhängig arbeiten, ohne mich um die Meinung einer Jury zu kümmern! Ich hatte meine wahren Lehrer längst erkannt. Ich bewunderte Manet, Courbet und Degas. Ich hasste die konventionelle Kunst. Ich erwachte zum Leben.« Von diesem Augenblick an lehnte sich ihr Stil eng an den der Impressionisten an. Ein zentrales Element in Cassatts Werk war die Darstellung von Frauen. Segard bemerkte zwar, dass sie eine »Malerin von Müttern und Kindern« sei, er übersah aber das offenkundige feministische Bewusstsein, das Cassatts Arbeiten zugrunde lag, die sich auf Frauen als eigenständige Motive in einer zeitgenössischen Gesellschaft konzentrierten.

Cassatts Modelle, die nie in herkömmlichen Posen erschienen, sind oft außerhalb der Mitte platziert, um den Realismus der abgebildeten Szene zu erhöhen. In *Miss Mary Ellison* (ca. 1880; S. 41) konzentriert sich Cassatt auf das Nachdenkliche der Person statt auf ihre körperliche Erscheinung. Ihre lockere Pinselführung entspricht dem Stil der Impressionisten. In *Mutter, die ihr schläfriges Kind wäscht* (1880; gegenüber) richtet Cassatt ihre Aufmerksamkeit zum ersten Mal auf das Thema Mutterschaft. Wir sehen eine Mutter, die zärtlich ihr kleines Kind wäscht. Wie bei *Miss Mary Ellison* sind die Pinselstriche sehr ausdrucksstark und die Farben haben eine zarte Pastellnote. Wahrscheinlich hat der Besuch ihres Bruders

Mary Cassatt
Mutter, die ihr schläfriges Kind wäscht, 1880
Öl auf Leinwand,
100,3 x 65,7 cm
Los Angeles County Museum of Art (LACMA), Los Angeles

Die gestreifte Tapete und die eigenartig langen Beine des Kindes verstärken die vertikale Ausrichtung dieses Gemäldes.

Alexander mit seinen Kindern im Sommer 1880 diese intime Szene inspiriert.

In Cassatts späterem Werk wird der Einfluss der japanischen Kunst offensichtlich. Eine Ausstellung japanischer Drucke an der École des Beaux-Arts, die die Künstlerin im Jahre 1890 gemeinsam mit Morisot besuchte, hinterließ einen dauerhaften Eindruck. Jedoch erinnern bereits die Streifenmuster der Tapete und des Sessels in *Mutter, die ihr schläfriges Kind wäscht* an japanische Muster.

Mitte der 1890er-Jahre erwarb die Künstlerin das Château de Beaufresne in Mesnil-Théribus an der Oise, wo sie ihre restlichen Sommer verbrachte. Zunehmende Erblindung zwang Cassatt 1914, das Malen aufzugeben. 1926 starb sie mit 82 Jahren im Château de Beaufresne.

Mary Cassatt
Miss Mary Ellison,
ca. 1880
Öl auf Leinwand,
85,5 x 65,1 cm
National Gallery of Art,
Washington, DC

Hinter Miss Ellison befindet sich ein Spiegel, der es Cassatt erlaubt, den Raum in dieser Komposition zu erweitern.

WICHTIGE WERKE

- *Der Tee*, ca. 1880, Museum of Fine Arts, Boston, USA
- *Kinder spielen am Strand*, 1884, National Gallery of Art, Washington, USA
- *Das Bad des Kindes*, 1893, Art Institute of Chicago, Chicago, USA
- *Junge Mutter beim Nähen*, 1900, The Metropolitan Museum of Art, New York, USA
- *Mutter und Kind mit einem Rosenschal*, ca. 1908, The Metropolitan Museum of Art, New York, USA

WICHTIGE EREIGNISSE

- 1874 – Cassatt trifft Louisine Elder (später Mrs. Havemeyer) und hilft ihr, über die Jahre eine große Sammlung Alter Meister und französischer Avantgarde-Kunstwerke zusammenzutragen, die sie später dem Metropolitan Museum in New York vermacht.
- 1886 – Cassatt und Morisot nehmen an der ersten impressionistischen Ausstellung in den USA teil, die an der National Academy of Design in New York stattfindet. Diese wird vom Pariser Galeristen Paul Durand-Ruel organisiert.

PIONIERINNEN DER AVANTGARDE

Künstlerinnen, die zwischen 1860 und 1899 geboren wurden

-

Sie sollten wissen, dass ich mir der Gefahren durchaus bewusst bin. Frauen müssen genauso Dinge ausprobieren, wie Männer sie probiert haben. Wenn sie scheitern, dann muss ihr Scheitern eine Herausforderung für andere sein.

-

Amelia Earhart, 1937

HILMA AF KLINT
1862–1944

Die schwedische Künstlerin Hilma af Klint gilt als Vorreiterin der Abstraktion und begann schon 1906, in diesem Stil zu arbeiten, noch vor Wassily Kandinsky und Kasimir Malewitsch. Af Klint war jedoch nicht nur Malerin: Ihre Gemälde, Texte und Notizen enthüllen darüber hinaus ihre Beschäftigung mit dem Spiritismus.

Af Klint wurde in Solna geboren. 1882 schrieb sie sich an der Königlichen Akademie der freien Künste ein und mietete nach ihrem Abschluss ein Atelier des schwedischen Künstlerbundes. Sie pflegte öffentlich den Ruf einer Landschafts- und Porträtmalerin, frönte jedoch privat ihrem Interesse an Theosophie sowie mystischen Theorien und trat 1880 der Theosophischen Gesellschaft bei. Hier kam sie mit Ideen über Form und Farbe in Berührung, die sie schließlich zu dem abstrakten Stil führten, für den sie heute berühmt ist. 1896 gründete sie mit vier weiteren Frauen die spiritistische Gruppe »Die Fünf« und nahm bis zu ihrem Tod im Jahre 1944 regelmäßig an deren Treffen teil. In ihrem Testament bestimmte af Klint, dass ihre Gemälde, Texte und Schriften erst 20 Jahre nach ihrem Tod öffentlich gemacht werden dürften.

Af Klint arbeitete in Serien. Und obwohl jede für sich einzigartig ist, war das übergreifende Thema der Wunsch zu enthüllen, was für die natürliche Welt unsichtbar bleibt. Eine von af Klints komplexesten Serien ist *Malereien für den Tempel* (1906–1915). Dieser Zyklus aus 193 Gemälden, die in Gruppen und Untergruppen aufgeteilt sind, wurde inspiriert von af Klints Streben nach Einheit jenseits der sichtbaren Dualitäten der Welt, wie etwa männlich und weiblich. Die Werke der Serie befassen sich unter anderem mit dem Ursprung der Welt und den Stadien des menschlichen Wachstums.

Hilma af Klint
Altarbild, Nr. 1, grupp X, Altarbilder, 1915
Öl und Metallfolie auf Leinwand,
237,5 x 179,5 cm
Hilma af Klint Foundation, Stockholm

Dieses Gemälde ist eines von drei großen sogenannten *Altarbildern*. Eine dreieckige Farbtafel erstreckt sich zu einer strahlenden Sonne und vermittelt den Eindruck einer weltlichen Projektion in den Bereich des Jenseitigen.

WICHTIGE EREIGNISSE

- 1908 – Rudolf Steiner, Generalsekretär der Theosophischen Gesellschaft in Deutschland, besucht af Klint in ihrem Atelier in Stockholm.
- 1986 – Af Klints Werke werden in »The Spiritual in Art: Abstract Painting 1890–1985« des Los Angeles County Museum aufgenommen. Dies ist die erste öffentliche Ausstellung ihrer Arbeiten.

PAULA MODERSOHN-BECKER
1876–1907

Paula Modersohn-Becker zählt zu Deutschlands führenden modernistischen Künstlern. Sie gilt bei vielen als Vorreiterin des deutschen Expressionismus und entwickelte einen einzigartigen und experimentellen Stil, der auf radikaler Einfachheit basiert, gekoppelt mit einem ausgeprägten Bewusstsein für Farbe. Sie wurde als Tochter einer wohlhabenden Familie in Dresden geboren. Später zog die Familie nach Bremen, wo ihr Vater, Carl Waldemar Becker, als Bauingenieur angestellt war.

Obwohl sie zunächst eine Ausbildung zur Lehrerin begann, wandte Modersohn-Becker ihre Aufmerksamkeit bald der Malerei zu. Zwischen 1893 und 1895 studierte sie bei dem Maler Bernhard Wiegandt, 1896 ging sie nach Berlin, wo sie die Mal- und Zeichenschule des Vereins der Berliner Künstlerinnen besuchte. Anschließend setzte sie ihre Studien mit der schwedischen Malerin Jeanna Bauck fort und perfektionierte ihre Technik dann in Paris an der École des Beaux-Arts.

Entscheidend für Modersohn-Beckers künstlerische Entwicklung war das kleine Dorf Worpswede nahe Bremen. Dieser unwirtliche und ziemlich isolierte Ort beherbergte eine Gemeinschaft von Künstlern, darunter die Maler Fritz Mackensen, Otto Modersohn und Heinrich Vogeler. Abseits des Stadtlebens genossen die Künstler das Malen *en plein air* und konzentrierten sich auf die lebensnahe Darstellung der rauen und stimmungsvollen Landschaft von Worpswede und seiner Umgebung.

1897 besuchte Modersohn-Becker Worpswede mit ihrer Familie und kehrte im folgenden Jahr zurück, um unter Mackensen zu studieren. Anders als der Rest der Kolonie von Worpswede malte sie lieber die örtlichen Bewohner statt der Landschaft. Ihre Porträts vermitteln sowohl das äußere Erscheinungsbild als auch die inneren Gefühle ihrer Modelle. Modersohn-Beckers Stil jedoch wurde als zu innovativ und andersartig als die vorherrschende Ästhetik im

Paula Modersohn-Becker
Selbstbildnis mit Bernsteinkette, 1906
Öl auf Leinwand,
62,2 x 48,2 cm
Freie Hansestadt,
Bremen

Modersohn-Becker beschwört ein Bild der Naivität und Glückseligkeit, indem sie sich vor einem stilisierten Busch sowie mit Blumen auf dem Kopf und in der Hand darstellt.

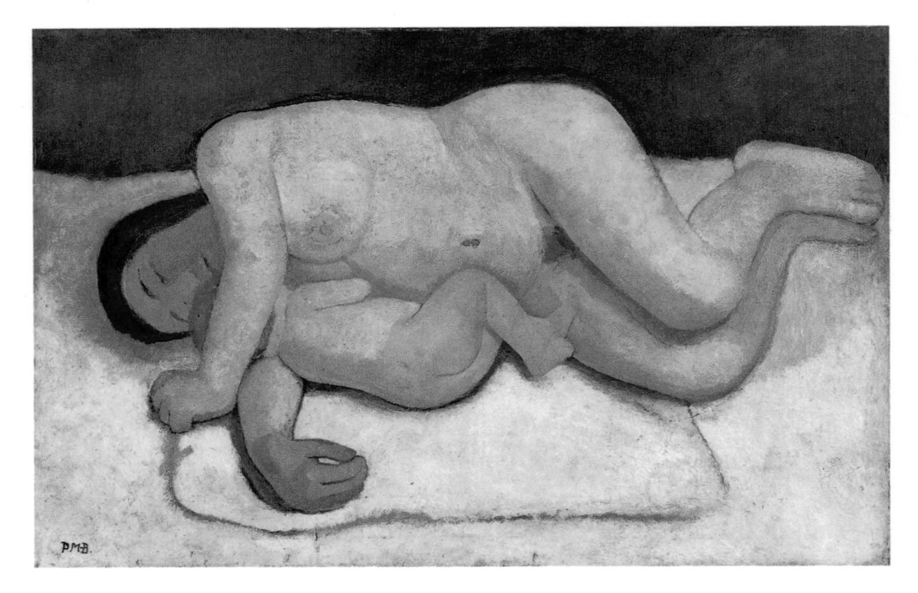

Paula Modersohn-Becker
Liegende Mutter mit Kind,
1907
Öl auf Leinwand,
82 x 124,7 cm
Freie Hansestadt,
Bremen

Die Mutter und ihr Kind sind hier als eine Einheit abgebildet, die einander spiegeln. Wie bei allen mütterlichen Figuren, die Modersohn-Becker gemalt hat, besteht auch hier eine Verbindung zu den zahllosen Darstellungen von Mutter und Kind, die über die Jahrhunderte entstanden sind.

Worpswede dieser Zeit angesehen, sodass sie 1899 nach Paris zog. 1901 kehrte Modersohn-Becker jedoch wieder in das Dorf zurück, wo sie ihren Künstlerkollegen Otto Modersohn heiratete.

Die Heirat mit Modersohn gewährte Modersohn-Becker zwar ein gewisses Maß an finanzieller Freiheit, ließ sich aber nur schwer mit ihrem Ehrgeiz in Einklang bringen, ein unabhängiges Leben als Künstlerin zu führen. Anders als ihr Ehemann blieb sie an künstlerischen Entwicklungen außerhalb Deutschlands interessiert und reiste häufig nach Paris. Als sie in der Galerie von Ambroise Vollard Paul Cézannes Arbeiten sah, spürte sie sofort eine Verbindung zu dem französischen Künstler, den sie als einen älteren Bruder beschrieb. Zu ihrer Begeisterung für Cézanne kam gegen Ende ihres Lebens das Interesse an Paul Gauguins Arbeiten. Dessen Einfluss ist in Werken wie *Selbstbildnis mit Bernsteinkette* (1906; S. 47) spürbar, in denen die Künstlerin sich selbst als Insulanerin darstellte, vergleichbar den Gemälden von Gauguin während seines Aufenthalts in Französisch-Polynesien.

Ein zentrales Thema in Modersohn-Beckers Werk ist die Mutterschaft. Sie kam im Laufe ihrer Karriere und vor allem während ihrer Schwangerschaft immer wieder darauf zurück. 1907 brachte sie ihre Tochter Mathilde zur Welt. Die Anstrengung der Entbindung schwächte Modersohn-Becker, die Bettruhe verordnet bekam. Sie erholte sich nicht wieder und starb weniger als einen Monat nach der Geburt ihrer Tochter an einer Lungenembolie.

WICHTIGE EREIGNISSE

- 1900 – Modersohn-Becker lernt den Schriftsteller und Dichter Rainer Maria Rilke kennen und zwischen den beiden entsteht eine enge Freundschaft. Zur Erinnerung an seine geliebte Freundin schrieb Rilke ein Jahr nach Modersohn-Beckers frühzeitigem Tod »*Requiem für eine Freundin*«.
- 1905 – Modersohn-Becker verbringt Zeit in Paris und besucht die Ausstellungen zeitgenössischer Kunst im Musée du Luxembourg, verschiedene Künstlerateliers (unter anderem von Pierre Bonnard und Auguste Rodin) sowie den Salon des Indépendants.

GABRIELE MÜNTER
1877–1962

Als Vorreiterin des Expressionismus und Mitglied der Gruppe »Der Blaue Reiter« werden Leben und Werk von Gabriele Münter oft nur im Zusammenhang mit dem ihres Liebhabers und Mentors Wassily Kandinsky, des russischen Avantgarde-Künstlers, gesehen. 1877 in Berlin geboren, studierte Münter kurz an einer Kunstschule in Düsseldorf, bevor sie mit ihrer Schwester nach Amerika reiste. Anschließend schrieb sie sich in München an der von Kandinsky geleiteten Malschule Phalanx ein.

Während der Malexkursionen von Kandinskys Klasse begannen Münter und der russische Künstler eine Liaison. Er ermutigte sie, die naturalistische, akademische Malerei zugunsten einer zunehmend vereinfachten und ausdrucksvollen Sprache aufzugeben. Inhalt wich schrittweise der Farbe, die schließlich in ihren Kompositionen zur dominierenden Kraft wurde. Die Künstlerin entwickelte außerdem Interesse an Volksbräuchen, vor allem an der Glasmalerei.

1909 erbte Münter genug Geld, um in Murnau ein Haus zu erwerben, das als Münterhaus bzw. bei den Einheimischen auch als Russenhaus bekannt ist. Dieses von Münter ausgeschmückte Haus wurde zu einem Treffpunkt der künstlerischen Avantgarde. Franz Marc, August Macke, Alexej von Jawlensky und Marianne von Werefkin waren regelmäßige Besucher.

Mit Ausbruch des Ersten Weltkriegs im Jahre 1914 wurde Münter von Kandinsky getrennt, der nach Russland zurückkehrte. Sie trafen sich im folgenden Jahr in Stockholm wieder, allerdings zum letzten Mal. Während Münter geduldig die Rückkehr ihres Liebhabers erwartete, heiratete er eine andere Frau. Für Münter war der Schock so groß, dass sie das nächste Jahrzehnt damit zubrachte, zwischen Orten zu pendeln. Erst 1930 kehrte sie mit ihrem neuen Partner, Johannes Eichner, nach Murnau zurück. Den Rest ihres Lebens verbrachte sie im Münterhaus.

Gabriele Münter
Porträt von Marianne von Werefkin, 1909
Öl auf Karton,
81 x 55 cm
Städtische Galerie im Lenbachhaus, München

Das *Porträt von Marianne von Werefkin* (1909) zeigt die Künstlerfreundin von Gabriele Münter. Die kräftigen Farben und die Pose der Frau deuten auf von Werefkins lebhaftes Temperament hin. Münter erinnert sich: »Ich malte Werefkina [sic] 1909 vor dem gelben Unterbau meines Hauses. Sie war eine wirklich großartige Erscheinung, selbstbewusst, gebieterisch, extravagant gekleidet, mit einem Hut so groß wie ein Wagenrad, auf dem Platz für alle möglichen Dinge war.« Die Künstler des Blauen Reiters malten nur selten Porträts, da sie spirituellen und symbolischen Formen eine größere Bedeutung beimaßen.

WICHTIGE EREIGNISSE

- 1909 – Münter wird Mitglied der Neuen Künstlervereinigung München (NKVM). Die erste Ausstellung der Vereinigung findet in München statt und wird später auch in anderen deutschen Städten gezeigt.
- Ab 1930 – Münter bewahrt unter großem persönlichem Risiko die Gemälde, die Kandinsky zurückgelassen hat. Das Nazi-Regime hatte sie zur »entarteten Kunst« erklärt.

VANESSA BELL

1879–1961

Die Malerin Vanessa Bell war die Schwester der berühmten Schriftstellerin Virginia Woolf und die Großnichte der Fotografin Julia Margaret Cameron. Sie wuchs in einem privilegierten Haushalt in London auf. Nach dem Tod ihres Vaters Sir Leslie Stephen im Jahre 1904 zog sie mit ihrer Schwester Virginia und ihren Brüdern Thoby und Adrian in den Gordon Square 46. Hier gründeten sie die Bloomsbury Group, eine zwanglose Vereinigung von Künstlern, Schriftstellern und Intellektuellen. *The Memoir Club* (ca. 1943; gegenüber) zelebriert das Vermächtnis des Bloomsbury-Kreises. Dieses gemeinsame Porträt stellt wichtige Vertreter der Gruppe dar, darunter Duncan Grant, Clive Bell und Virginia Woolfs Ehemann, den Schriftsteller und Verleger Leonard Woolf.

1911 hatte Vanessa den Kunsthistoriker und Ästhetiker Clive Bell geheiratet. Die Ehe hielt jedoch nicht und Vanessa führte eine lange, unkonventionelle Liebesaffäre mit dem Künstler Duncan Grant. Während ihrer Karriere stellte sie häufig aus und konnte auf die Unterstützung des führenden avantgardistischen Kunstkritikers und Künstlers Roger Fry zählen. Ihre Bildsprache bestand aus kräftigen Farben und glatten Ebenen. Neben der Malerei befasste sich Bell auch mit der Gestaltung von Inneneinrichtungen. Das berühmteste Beispiel ist ihr Charleston Farmhouse in Firle, East Sussex, wo sie von 1916 bis zu ihrem Tod im Jahre 1961 lebte. 1980 wurde das aus dem 18. Jahrhundert stammende Haus in ein Museum umgewandelt.

Vanessa Bell
The Memoir Club,
ca. 1943
Öl auf Leinwand,
60,8 x 81,6 cm
National Portrait Gallery,
London

An der Wand hinter den Hauptfiguren kann man gemalte Porträts früherer Mitglieder der Bloomsbury-Gruppe erkennen. Dazu gehört eines von Virginia Woolf, gemalt von Duncan Grant, und ein weiteres von Roger Fry, gemalt von Vanessa Bell.

WICHTIGE WERKE

- *Virginia Woolf*, 1912, National Portrait Gallery, London, Großbritannien
- *Bathers in a Landscape*, 1913, Victoria and Albert Museum, London, Großbritannien
- *Composition*, ca. 1914, The Museum of Modern Art (MoMA), New York, USA
- *Abstract Painting*, ca. 1914, Tate, London, Großbritannien

WICHTIGE EREIGNISSE

- 1912 – Bell nimmt an Roger Frys zweiter »Post-Impressionist Exhibition« in der Grafton Gallery in London teil. Zu den Teilnehmern gehören u. a. Pierre Bonnard, Henri Matisse und Pablo Picasso.
- 1913–1919 – Bell ist an dem Kunstprogramm der Omega Workshops beteiligt, bei dem sie Möbel, Tapeten, Buchumschläge und Bühnenbilder gestaltet.

SONIA DELAUNAY
1885–1979

Sonia Delaunay pflegte gemeinsam mit ihrem Ehemann Robert Delaunay den Simultanéismus sowohl als Kunstform als auch als Lebensstil. Simultanéismus, so wie sie ihn verstanden, beruhte auf einer abstrakten Sprache von Farbe und Kontrast. Mithilfe schriller Kombinationen beschwor das Paar die Hektik der Stadt mit ihren gleichzeitigen und dennoch ganz unterschiedlichen Ereignissen. Anders als ihr Mann, der sich vor allem auf das Malen konzentrierte, erkundete Sonia Delaunay den Simultanéismus in unterschiedlichen Medien, von Textilien bis zu Autos.

Delaunays Vorliebe für Mode und Raumgestaltung führte dazu, dass sie ihr eigenes Textilunternehmen aufbaute, Atelier Simultané. Die lebhaften Muster und kräftigen Farben der Stoffe dienten als Grundlage für ihre Modeentwürfe. Ihre Modelinie unter dem Titel »Simultanistische Kleider« richtete sich an die moderne und modebewusste Frau. Die aus Stoffstücken unterschiedlicher Größen, Formen und Farben konstruierten »simultanistischen Kleider« kombinierten die Ideale der simultanistischen Malerei mit der Mobilität von Konfektionsmode. Delaunay trug so oft ihre eigenen Entwürfe, dass sie selbst wie ein lebendes Kunstwerk wirkte.

In dem Gemälde *Simultanistische Kleider (Drei Frauen, Formen, Farben)* (1925; gegenüber) präsentiert uns Delaunay drei Frauen, die jeweils ein anderes »Simultankleid« tragen. Das Gemälde, eine Würdigung der »simultanistischen Bekleidung«, kombiniert auf bemerkenswerte Weise die abstrakten Entwürfe der Kleider und des Hintergrunds mit den figürlichen Formen der drei weiblichen Körper.

Sonia Delaunay
Simultanistische Kleider (Drei Frauen, Formen, Farben), 1925
Öl auf Leinwand,
146 x 114 cm
Museo Nacional Thyssen-Bornemisza, Madrid

Die Betonung liegt hier auf den Kleidern, während die Frauen auf gesichtslose Mannequins reduziert sind.

WICHTIGE WERKE

- *Flamenco-Sänger (Chanteurs de Flamenco,* auch *Grand Flamenco)*, 1915–1916, CAM – Museu Calouste Gulbenkian, Lissabon, Portugal
- *Rythme couleur*, 1964, Musée d'Art Moderne de la Ville de Paris, Frankreich

WICHTIGE EREIGNISSE

- 1913 – Delaunay lernt den Schriftsteller und Dichter Blaise Cendrars kennen und erschafft mit ihm das erste »simultanistische Buch«. Ihre Entwürfe begleiten das 445 Zeilen lange Gedicht *La Prose du Transsibérien et de la petite Jehanne de France (Prosa über die Transsibirische Eisenbahn und die kleine Jeanne d'Arc)*.
- 1923 – Die Künstlerin eröffnet »La Boutique des Modes« für ihre Textilkreationen.

GEORGIA O'KEEFFE
1887–1986

Georgia O'Keeffe ist berühmt für ihre Blumenbilder. Sie wandte sich diesem Thema erstmalig 1919 zu und kam im Laufe ihrer Karriere immer wieder darauf zurück. O'Keeffes Blumenbilder konzentrieren sich, wie *Jimson Weed/White Flower No. 1* (1932; gegenüber) beweist, auf die Verwandlungen der Natur. Die Blüte wird stark vergrößert dargestellt und die Palette beschränkt sich auf wenige Farben, was die Einheitlichkeit der Komposition stärkt. O'Keeffes Zugang zu ihren Blumenbildern ist alles andere als formelhaft; jedes einzelne wird diszipliniert, aber auch hochgradig individuell behandelt.

O'Keeffe wurde als zweites von sieben Kindern in der Nähe von Sun Prairie, Wisconsin, geboren. Sie besuchte das School of the Art Institute in Chicago und später die Art Students League in New York. 1912 begann sie einen Zweijahresjob als Kunstlehrerin an einer Highschool in Amarillo, Texas. Das Jahr 1917 brachte O'Keeffes künstlerischen Durchbruch, als ihre erste Einzelausstellung in der Galerie 291 von Alfred Stieglitz in New York eröffnete. Stieglitz wurde ihr Liebhaber, Mentor und lebenslanger Gefährte. Das Paar heiratete im Jahre 1924 nach der Scheidung von seiner ersten Frau.

Etwa zu dieser Zeit entdeckte O'Keeffe Wolkenkratzer als Motiv für ihre Gemälde. Sie wurde zunehmend als Künstlerin wahrgenommen und erhielt 1926 die Einladung, eine Rede auf der National Woman's Party Convention in Washington zu halten. 1928 erlitt Stieglitz im Urlaub mit O'Keeffe am Lake George einen ersten Herzanfall. Im folgenden Jahr besuchte O'Keeffe zum ersten Mal New Mexico, doch erst nach dem tödlichen Herzanfall ihres Ehemannes im Jahre 1946 entschied sie, dorthin zu ziehen, und lebte dort von 1949 bis zu ihrem Lebensende.

In New Mexico, speziell in Taos, stieß die Künstlerin zum ersten Mal auf Tierschädel, die sie nach New York schickte, wo sie eine Reihe von Gemälden davon anfertigte. Eines dieser Bilder ist *From*

Georgia O'Keeffe
Jimson Weed/White Flower No. 1, 1932
Öl auf Leinwand,
121,9 x 101,6 cm
Crystal Bridges Museum of American Art, Bentonville

O'Keeffes Interesse an Blumen beschränkte sich nicht auf deren Darstellung; sie war selbst auch eine erfolgreiche Gärtnerin.

the Faraway, Nearby (1937; gegenüber). Dieses für den amerikanischen Mittelwesten typische Motiv spielt mit dem Mythos des amerikanischen Cowboys. Für O'Keeffe repräsentierten diese Werke jedoch weniger den Machismo der Westernhelden, sondern vor allem eine eigentümliche Beziehung zwischen dem Reich des Lebendigen und des Spirituellen. Sie erklärte:

> Für mich sind sie eigenartigerweise lebendiger als die Tiere, die hier herumlaufen – mit Haaren, Augen und wedelnden Schwänzen. Die Knochen scheinen genau ins Zentrum von etwas zu weisen, was in der Wüste sehr lebendig ist, obwohl sie riesig und leer und unberührbar scheint – und bei all ihrer Schönheit keine Freundlichkeit kennt.

Georgia O'Keeffe
From the Faraway, Nearby, 1937
Öl auf Leinwand, 91,4 x 101,9 cm
The Metropolitan Museum of Art, New York

Die Gemälde von Tierschädeln und -knochen wurden als eine Form des »Südwestlichen Surrealismus« beschrieben, nicht allzu verschieden von René Magrittes schwebenden Formen.

O'Keeffes Interesse an diesem verführerischen, aber auch surrealen Mythos des Westens enthüllt, dass sie mehr war als nur die Malerin sexuell aufgeladener Blumen.

WICHTIGE WERKE

- *Black Mesa Landscape, New Mexico/Out Back of Marie's II*, 1930, Georgia O'Keeffe Museum, Santa Fe, USA
- *Cow's Skull: Red, White, and Blue*, 1931, The Metropolitan Museum of Art, New York, USA
- *Sky with Flat White Cloud*, 1962, National Gallery of Art, Washington, USA

WICHTIGE EREIGNISSE

- 1936 – O'Keeffe wird beauftragt, ein großes Blumenbild für Elizabeth Ardens New Yorker Salon anzufertigen.
- 1939 – Die Künstlerin wird von der Dole Pineapple Company nach Hawaii eingeladen, wo sie eine Serie tropischer Landschaften malt.

HANNAH HÖCH
1889–1978

Hannah Höch behauptete sich mit ihren bissig-kritischen, neugierigen und satirischen Collagen und Fotomontagen unter den männlich dominierten Berliner Dadaisten. Geboren in Gotha in einer Familie der oberen Mittelschicht, verließ sie 1912 ihr Zuhause und zog nach Berlin. Dort traf sie 1915 den österreichischen Maler Raoul Hausmann, der ihr Liebhaber, Begleiter und Kollege wurde. Beide waren Teil der Berliner Avantgarde-Szene. Etwa zu dieser Zeit bekam Höch Arbeit beim Ullstein-Verlag, wo sie Stick- und Spitzenentwürfe für Frauenzeitschriften herstellte. Dort hatte sie Zugriff auf viele Publikationen, die ihr die Bilder für ihre Fotomontagen lieferten.

1920 nahm Höch an der Ersten Internationalen Dada-Messe in der Galerie Dr. Otto Burchard in Berlin teil. Sie stellte hier ihre berühmteste Fotomontage vor, *Schnitt mit dem Küchenmesser. Dada durch die letzte Weimarer Bierbauchkulturepoche Deutschlands* (1919–1920; gegenüber) – groß und respektlos. Die Komposition verwirft den Vorrang der männerzentrierten Kultur, indem sie die weiblichen Charaktere metaphorisch mit einem Küchenmesser namens Dada ausstattet. Deutschland hatte 1919 all seinen Bürgerinnen und Bürgern das allgemeine Wahlrecht gewährt. Der häusliche Bereich, in den Frauen traditionell verbannt wurden, wird hier durch ein neues öffentliches Bewusstsein ersetzt, das die in der Fotomontage dargestellten Frauen erfahren.

1929 verließ Höch Deutschland und zog in die Niederlande, wo sie mit der Dichterin Mathilda (Til) Burgman zusammenlebte, die sie 1926 kennengelernt hatte. Gleichzeitig wurden ihre Kompositionen weniger politisch und dafür erzählerischer. Als sie 1935 nach Berlin zurückkehrte, sah sie sich einer völlig anderen gesellschaftlichen und politischen Landschaft gegenüber: Die Nationalsozialisten waren an die Macht gelangt. Höch verhielt sich still und zog in ein kleines Haus in Heiligensee am Rande der Stadt. Dort lebte sie ein genügsames und isoliertes Leben bis zur Befreiung Deutschlands im Jahre 1945. In den Nachkriegsjahren wurde ihre Kunst immer abstrakter und befasste sich mit dem zunehmenden Materialismus und den Massenmedien. Sie starb 1978 in Berlin.

Hannah Höch
Schnitt mit dem Küchenmesser. Dada durch die letzte Weimarer Bierbauchkulturepoche Deutschlands, 1919–20
Collage aus aufgeklebten Papieren, 90 x 144 cm
Nationalgalerie, Staatliche Museen zu Berlin

Diese Fotomontage, eine triumphale Feier der Emanzipation der modernen Frau, nutzt ausgiebig das Rad als Symbol für Veränderung und Vergänglichkeit. Tänzerinnen, Athletinnen, Schauspielerinnen und Künstlerinnen – Frauen stiegen zu Bekanntheit auf. Höch weist in der unteren rechten Ecke der Fotomontage auf die Tatsache hin, dass sie nach und nach das Wahlrecht erlangen: Dort findet sich eine Karte mit den Ländern, in denen Frauen bereits wählen durften oder wo dies schon bald der Fall sein würde.

WICHTIGE EREIGNISSE

- 1957 – Der Start des Sputnik hat Höch stark beschäftigt, sie sammelt Artikel und Bilder von diesem Ereignis.
- 1976 – Im Musée d'Art Moderne de la Ville de Paris und der Berliner Nationalgalerie, Staatliche Museen Preußischer Kulturbesitz, wird eine große Retrospektive von Höchs Werk eröffnet.

LJUBOW POPOWA
1889–1924

Ljubow Popowa
Architektonische Malerei, 1917
Öl auf Leinwand, 83,8 x 61,6 x 5 cm einschließlich Rahmen
Los Angeles County Museum of Art (LACMA), Los Angeles

Dieses Gemälde gehört zu Popowas »bildlicher Architektonik«. Strukturiert um eine Reihe sich überschneidender Flächen, erkundet es den Raum durch Farbe und Rhythmus.

Ljubow Popowa wurde in der Nähe von Moskau geboren. Sie besuchte das Arseniew-Gymnasium und studierte Kunst bei Stanislaw Schukowski. Zwischen 1909 und 1911 reiste sie nach Kiew und Nowgorod, wo sie russische Kirchen besuchte und historische Ikonen anschaute. Außerdem besuchte sie Italien und lernte die Kunst der frühen Renaissance kennen. 1912 trat sie mit Wladimir Tatlin und anderen russischen Künstlern dem Moskauer Atelier »Der Turm« bei. Im selben Jahr reiste sie nach Paris, wo sie bei Henri Le Fauconnier und anderen studierte. Im folgenden Jahr kehrte sie nach Russland zurück, bevor sie erneut nach Frankreich und Italien aufbrach.

Während ihrer Zeit in Paris meisterte Popowa die kubistische Ausdrucksweise und lernte den Futurismus kennen. Popowas eigenes Werk vereinte die facettierten Flächen des Kubismus mit der Dynamik des Futurismus. Allerdings nahm sie immer mehr Abstand vom Kubofuturismus und wandte sich abstrakten Formen zu, inspiriert von Kasimir Malewitschs Suprematisten, deren Gruppe sie 1916 beitrat. Von nun an beschäftigte sich Popowa in ihren Arbeiten vorrangig mit Farbe, Textur und Rhythmus – sie nannte dies »architektonische Malerei«. Sie nahm die ästhetischen und kompositorischen Elemente, die diesen Werken zugrunde liegen, in ihren Textil- und Bühnenentwürfen der 1920er-Jahre wieder auf.

Ab 1921 widmete sich die Künstlerin fast ausschließlich der Herstellung von Gebrauchsobjekten und -entwürfen. Dazu gehörten Textilien, Kleider, Bücher, Porzellan, Kostüme und Bühnenbilder. Popowa starb 1924 in Moskau.

WICHTIGE WERKE

- *Komposition mit Figuren*, 1913, Staatliche Tretjakow-Galerie, Moskau, Russland
- *Birsk*, 1916, Solomon R. Guggenheim Museum, New York, USA
- *Bildliche Architektonik*, 1917, Kowalenko-Kunstmuseum, Krasnodar, Russland

WICHTIGE EREIGNISSE

- 1914–16 – Popowa nimmt an vielen einflussreichen Ausstellungen teil, darunter »Karo-Bube« in Moskau und »0.10: Die letzte futuristische Ausstellung« in St. Petersburg.
- 1921 – Die Künstlerin nimmt an der avantgardistischen Ausstellung »5 x 5 = 25« in Moskau teil.

TINA MODOTTI
1896–1942

Tina Modotti
Hände, die auf Werkzeug ruhen, 1927
Palladium-Abzug,
19,7 x 21,6 cm
J. Paul Getty Museum,
Los Angeles

In diesem Bild porträtiert Modotti die Mühsal der Arbeit, indem sie einen Arbeiter fotografiert, der seine staubigen Hände auf seinem Werkzeug ruhen lässt. Ab 1927 wurden Modottis Arbeiten aufgrund ihrer Mitgliedschaft in der mexikanischen kommunistischen Partei deutlich politischer.

Die Schauspielerin, Fotografin und politische Aktivistin Tina Modotti wurde im italienischen Udine geboren. 1913 zog sie zu ihrem Vater Guiseppe, der auf der Suche nach Arbeit in die USA ausgewandert war und sich 1907 in San Francisco niedergelassen hatte. Die schöne und charismatische Modotti arbeitete als Schneiderin im Kaufhaus I. Magnin sowie als Model. Zu dieser Zeit traf sie ihren künftigen Ehemann, den Schriftsteller und Künstler Roubaix de l'Abrie Richey (Robo). 1919 zogen die beiden nach Los Angeles, wo Modotti kleine Rollen in Stummfilmen bekam. Das lebhafte künstlerische und intellektuelle Milieu verzauberte Modotti und Robo, die sich mit dem Fotografen Edward Weston anfreundeten.

Modotti begann eine Affäre mit Weston. Enttäuscht ging Robo nach Mexiko, um dort eine Ausstellung kalifornischer Fotografen zu organisieren. Allerdings steckte er sich kurz nach seiner Ankunft in Mexiko-Stadt mit Pocken an und starb nur wenige Tage, nachdem Modotti an sein Krankenbett geeilt war. Kurz danach musste sie den Tod ihres Vaters verkraften. Ihre Beziehung zu Weston dagegen wuchs und 1923 siedelten sie gemeinsam nach Mexiko über.

Mit Westons Hilfe nahm Modottis Karriere als Fotografin Fahrt auf. Im Mittelpunkt ihrer Arbeiten standen Mexiko und seine Menschen, vor allem die täglichen Sorgen und die Politik der Revolutionäre. Weston verließ Mexiko und Modotti verliebte sich in den kubanischen Revolutionsführer Julio Antonio Mella, der ermordet wurde, als er mit Modotti nach Hause ging. Die Polizei verdächtigte zunächst die Künstlerin, die jedoch schnell entlastet wurde. Als Modotti sich immer mehr für die kommunistische Sache engagierte, gab sie die Fotografie auf. Nach Zeiten des Exils und der Flucht, die sie nach Deutschland, Russland und Spanien führte, kehrte sie 1939 nach Mexiko zurück. Mit 45 Jahren erlitt sie in einem Taxi auf dem Weg von einer Party nach Hause einen Herzanfall und verstarb.

WICHTIGE EREIGNISSE

- 1929 – In Modottis erster Einzelausstellung an der Autonomen Universität bestätigt sie den politischen Anspruch ihres Werkes.
- 1932 – Modottis Fotos beeinflussten wahrscheinlich Sergei Eisensteins Film *Que Viva Mexico!* Die beiden trafen sich in Mosco, wo Modotti mit dem kommunistischen Agenten Vittorio Vidali lebte.

Tina Modotti
Offene Türen, Mexiko-Stadt, 1925
Palladium-Abzug,
24,1 x 13,7 cm
J. Paul Getty Museum, Los Angeles

Dieses Foto entstand im letzten gemeinsamen Zuhause von Modotti und Weston in Mexiko-Stadt. Ihr Heim wurde zu einem Treffpunkt für führende Künstler und Intellektuelle, darunter Frida Kahlo, Diego Rivera und D. H. Lawrence. Sie konzentrierte sich hier auf die Geometrie der architektonischen Elemente in ihrem Wohnbereich.

BENEDETTA CAPPA MARINETTI
1897–1977

Benedetta Cappa Marinetti zählte zu den wichtigsten Künstlern des Futurismus. Die von Benedettas Ehemann Filippo Tommaso Marinetti im Jahre 1909 gegründete Bewegung basierte vor allem auf der Idealisierung von Geschwindigkeit und Dynamik sowie der Ablehnung der Vergangenheit. Sie begrüßte das moderne Leben, vor allem die Stadt und ihre Transportmittel. Der Futurismus war ganz offenkundig eine männerzentrierte Bewegung und feindselig gegenüber Frauen. Frauen wurden verachtet, Liebe und Ehe wurden in vielen futuristischen Manifesten (von denen etliche von Marinetti stammten) verhöhnt. Dennoch ging er im Jahre 1918 eine gefühlvolle Verbindung mit der jungen Benedetta Cappa ein.

Cappa Marinetti wandte sich nach dem Ersten Weltkrieg der Malerei zu. Sie lernte den viel älteren Marinetti durch ihren Lehrer kennen, den futuristischen Maler Giacomo Balla. Ihre romantische Verbindung zu Marinetti fiel mit der sogenannten zweiten Phase des Futurismus zusammen. Diese bis Anfang der 1940er-Jahre andauernde zweite Phase versuchte, den Reiz von Luftreisen einzufangen. Cappa Marinetti spielte hier mit ihren Gedichten und Gemälden eine wichtige Rolle. In einem Stil namens *Aeropittura* versuchte sie, die Effekte und Höhe des Fliegens nachzuahmen.

Eines der faszinierendsten Beispiele der futuristischen *Aeropittura* (Luftmalerei) ist Cappa Marinettis Serie *Synthesen der Kommunikation* (1933–1934; umseitig), eine Auftragsarbeit für das Zentralpostamt in Palermo auf Sizilien, entworfen von Angelo Mazzoni. Sie schuf fünf große Tafelbilder, die sich mit dem Thema der modernen Kommunikation befassten und die technologischen Fortschritte betonten. Zentrales Motiv aller fünf Tafeln ist die

Benedetta Cappa Marinetti
Synthese der Luft-Kommunikation,
1933–1934
Tempera und Enkaustik auf Leinwand,
320 x 195 cm
Palazzo delle Poste, Palermo

In diesem Werk durchschneidet ein Flugzeug die Wolken und deutet so an, dass die Kommunikation nicht mehr nur auf der Erde, sondern auch am Himmel stattfindet. Die Erde ist auf ein winziges Konglomerat aus privaten Wohnhäusern reduziert, während sich am Himmel völlig neue Möglichkeiten eröffnen.

BENEDETTA

Bewegung. *Synthese der Luft-Kommunikation* zum Beispiel feiert die Macht des Fliegens (gegenüber). Die anderen vier Gemälde zeigen ein Frachtschiff, eine aufsteigende Metallantenne, eine imposante Autobahn und Funkwellen, die sich über eine moderne Landschaft ausbreiten. Ein gemeinsames Farbschema vereint die fünf Bilder, die als eine Würdigung einer neuen Welt verstanden werden sollen, in der Technik und Modernisierung dominieren.

Neben ihrem Beitrag zur *Aeropittura* war Cappa Marinetti entscheidend an der Entwicklung eines neuen Zugangs zu sensorischen Erlebnissen beteiligt. Bei ihrer Ausbildung zur Lehrerin war sie von Maria Montessoris Lehren hinsichtlich der Bedeutung taktiler Erfahrungen in der kindlichen Entwicklung beeindruckt. Cappa Marinetti griff diese Ideen später im Kontext des Futurismus wieder auf. Gemeinsam mit ihrem Ehemann entwickelte sie eine Reihe von Werken, wie etwa *Sudan-Parigi* (1920), die eher berührt als betrachtet werden sollten. Erschöpft vom Krieg starb Filippo Tommaso Marinetti im Jahre 1944. Cappa Marinetti gab ihre künstlerische Tätigkeit auf und konzentrierte sich für den Rest ihres Lebens auf die Bewahrung der Hinterlassenschaft ihres Mannes.

Benedetta Cappa Marinetti
Synthesen der Kommunikation
(1933–1934) im Konferenzraum, Palazzo delle Poste, Palermo

Dies war eines der drei Wandbilder, zu deren Anfertigung die Futuristen in den 1930ern beauftragt wurden. Speziell Cappa Marinetti wurde gebeten, ein dekoratives Schema für den Konferenzraum im zweiten Stock des Gebäudes zu entwerfen, wo ihre Gemälde immer noch hängen. Sie zelebrieren die Pracht der vom faschistischen Staat geförderten öffentlichen Arbeiten, zu denen auch neue Autobahnen und Brücken gehörten.

WICHTIGE EREIGNISSE

- 1931 – Cappa Marinetti war neben acht Männern die einzige Frau bei der Abfassung des *Manifesto dell'aeropittura futurista* (1929), dessen Zweck darin bestand, Künstler und Zuschauer dazu zu bewegen, die Beschränkungen der Erde hinter sich zu lassen und eine Luftästhetik anzunehmen.
- ca. 1939–1942 – Beim Ausbruch des Zweiten Weltkriegs meldete sich Marinetti freiwillig zum Armeedienst, während Cappa Marinetti durch Italien reiste und ihren politisch motivierten Essay »Frauen des Vaterlandes im Krieg« vorstellte.
- 2014 – Das Guggenheim Museum in New York erhielt die fünf *Synthesen der Kommunikation* als Leihgabe des Palazzo della Poste (Zentralpostamt) in Palermo für die Ausstellung »Italian Futurism, 1909–1944: Reconstructing the Universe«.

TAMARA DE LEMPICKA
1898–1980

Tamara de Lempicka, elegante Berühmtheit und selbstbewusste Verführerin, ist vor allem für ihre Darstellungen von Glanz und Dekadenz des Pariser Jet-Sets der Goldenen Zwanziger bekannt. Datum und Ort ihrer Geburt sind unklar. Erzogen wurde sie in Lausanne sowie in Polen. 1911 verzauberte sie als Bauernmädchen mit einer Gans an einer Leine auf einem Maskenball ihren künftigen Ehemann, den jungen polnischen Adligen und Rechtsanwalt Tadeusz Lempicki. Das Paar heiratete 1916 in Petrograd; im selben Jahr wurde ihre Tochter Marie Christine, genannt Kizette, geboren. Nach der Russischen Revolution floh das Paar nach Paris, wo de Lempicka ihr künstlerisches Talent pflegte.

Sie studierte an der Académie Ranson, zuerst bei Maurice Denis, später bei André Lhote, dem einzigen Künstler, den sie jemals als Mentor anerkannte. 1922 stellte de Lempicka zum ersten Mal beim Salon d'Automne aus. Gleichzeitig verschlechterte sich allerdings ihr Familienleben. Ihr Mann verabscheute ihr Verhalten, sie unterhielt zahllose Affären mit Männern und Frauen, nahm Kokain, besuchte Nachtclubs und ließ bei der Arbeit im Atelier Musik in voller Lautstärke abspielen. 1928 ließ das Paar sich schließlich scheiden; als Tadeusz 1932 erneut heiratete, fiel sie in eine Depression.

In den 1920er- und 30er-Jahren war de Lempicka eine beliebte und kommerziell erfolgreiche Künstlerin, die sowohl bei der amerikanischen als auch europäischen Elite gefragt war. Viele ihrer Werke wurden im angesehenen Salon ausgestellt, darunter *Kizette in Pink* (1926; gegenüber). Ende der 1930er zeigten ihre Arbeiten vor allem religiöse Darstellungen von Heiligen und Madonnen. Mit ihrem zweiten Ehemann, Baron Kuffner, zog sie nach Los Angeles. Sie wohnten in Beverly Hills, wo sie aufwendige Partys für Hunderte von Gästen gab.

De Lempickas Kunst wurde viele Jahrzehnte lang kaum beachtet, bevor man sie in den 1970ern wiederentdeckte. 1978 zog sie nach Cuernavaca, Mexiko, wo sie ihre letzten Jahre verbrachte.

Tamara de Lempicka
Kizette in Pink, ca. 1926
Öl auf Leinwand,
116 x 73 cm
Musée des Beaux-Arts de Nantes

Kizette wird hier als ein fleißiges junges Mädchen porträtiert, gekleidet in ein modisches Sommerkleid. Auch wenn die Künstlerin sich nie zu irgendeiner avantgardistischen Bewegung bekannte, zeigt der Stil von *Kizette in Pink* de Lempickas einzigartige Verbindung zum Kubismus, indem sie dessen gerade Flächen in ihr Bild integriert. Die Position von Kizettes Beinen erinnert an russische Ikonen, die das Jesuskind in ähnlichen Posen mit gekreuzten Beinen darstellen.

WICHTIGE EREIGNISSE

- 1930 – Die Künstlerin zieht in die Rue Méchain 7 in Paris; die Inneneinrichtung wird von ihrer Schwester Adrienne gestaltet.
- 1972 – Die Ausstellung »Tamara de Lempicka de 1925 à 1935« in der Galerie du Luxembourg in Paris führt zur Wiederentdeckung der Künstlerin.

LOUISE NEVELSON
1899–1988

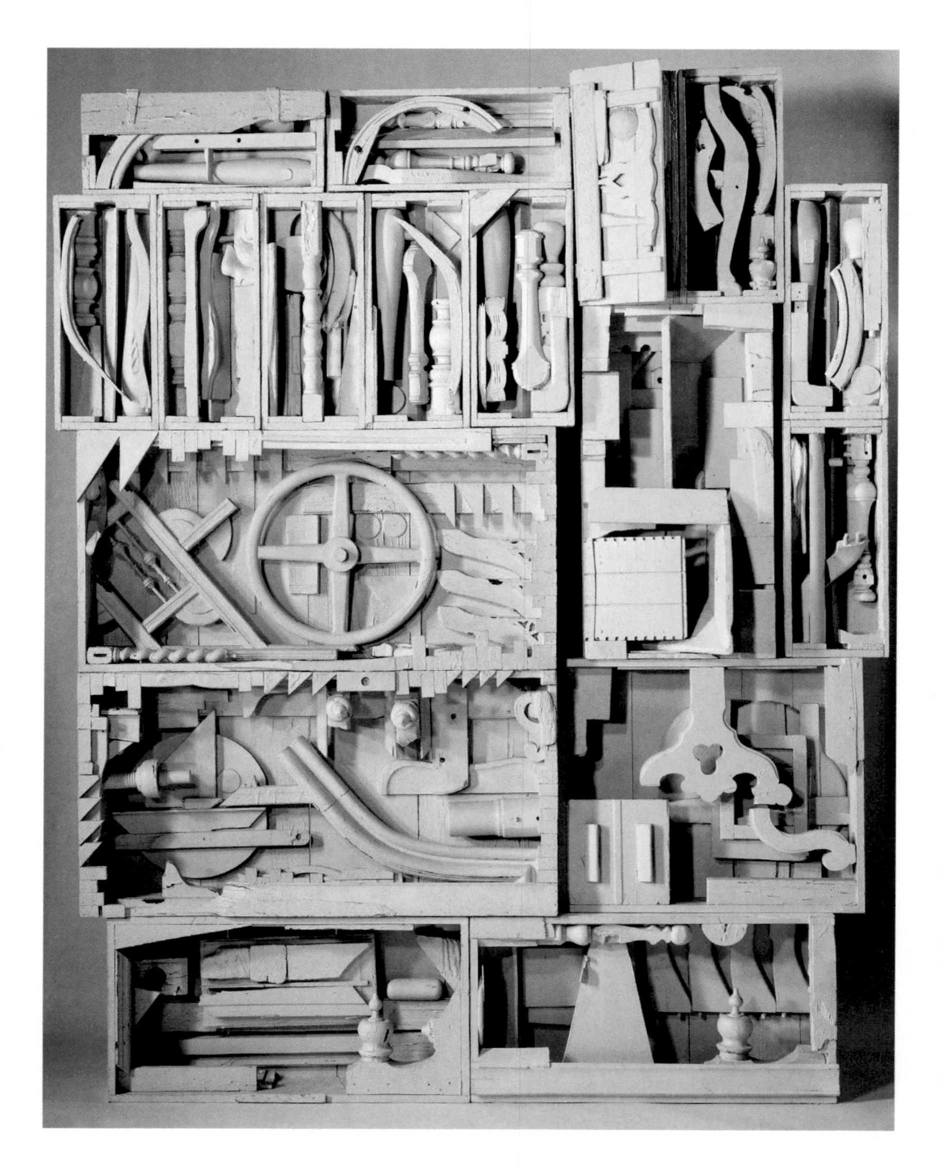

Louise Nevelson
Dawn's Wedding Chapel IV,
1959–1960
Holz, weiß angemalt,
264,2 x 216,5 x 64,8 cm
Mit frdl. Genehmigung
der Pace Gallery, New
York

Nevelson hoffte, dass *Dawn's Wedding Feast* als eine zusammenhängende Installation erhalten bleiben würde, aber ohne Käufer war sie gezwungen, die Teile zu trennen und sie entweder in neue Kompositionen zu integrieren oder, wie im Fall von *Dawn's Wedding Chapel IV*, als eigenständige Werke zu verkaufen. Bis zum Rand mit gefundenen Komponenten gefüllt, lud jeder Abschnitt von *Dawn's Wedding Feast* die Betrachter ein, alle Ecken und Winkel sowie die übereinanderliegenden Objekte zu erkunden.

»Aber vor allen Dingen ist es eine universelle Liebesaffäre für mich und ich liebe die Kunst«, sagte die Pionierin der modernistischen Bildhauerei Louise Nevelson. Die in der Ukraine geborene Nevelson floh 1905 mit ihrer Familie vor den russischen Pogromen in die USA. 1929 und 1930 besuchte sie die Art Students League in New York und studierte anschließend Kunst in Deutschland an Hans Hofmanns Schule in München. 1933 kehrte sie nach New York zurück. Einige Jahre später beteiligte sie sich an der Works Progress Administration (WPA), wo sie zuerst Wandmalerei lehrte und sich später als Malerin und Bildhauerin in das Programm einbrachte. 1941 ließ sie sich von ihrem Mann Charles Nevelson scheiden.

Die Künstlerin, die vor allem für ihre großen Assemblagen aus Holz bekannt ist, war äußerst experimentierfreudig und arbeitete im Laufe ihrer Karriere mit unterschiedlichen Medien. 1958 schuf sie das ambitionierte Projekt *Moon Garden + One* aus freistehenden Arbeiten und großen Skulptur-Wänden, den sogenannten *Sky Cathedrals*. Diese bestanden aus gestapelten Kisten, die Fundstücke enthielten und schwarz angemalt waren, was diesem Sammelsurium ein einheitliches Aussehen verlieh.

Im folgenden Jahr wurde Nevelson eingeladen, an »Sixteen Americans« teilzunehmen, einer großen Ausstellung zeitgenössischer Kunst am Museum of Modern Art in New York. Später erinnerte sie sich: »Mein ganzes Leben geschah spät. Vergiss nicht, meine Liebe, dass ich 1958 [sic] 58 war, als ich an der Show am Museum of Modern Art, *Sixteen Americans*, teilnahm. Und die waren alle viel, viel jünger als ich.« Zu den Teilnehmern gehörten deutlich jüngere Künstler wie Jasper Johns und Robert Rauschenberg. Nevelson nutzte diese Gelegenheit für eine weitere raumgroße Installation mit dem Titel *Dawn's Wedding Feast*. Anders als ihre früheren Assemblages waren diese großen, säulenartigen Strukturen mit weißer Farbe bedeckt.

In den 1960er-Jahren stellte sie häufig in den USA und Europa aus und repräsentierte die USA auf der Biennale in Venedig 1962. Sie experimentierte weiter und arbeitete nun auch mit Aluminium, Plexiglas und Stahl. Sie starb in ihrem Zuhause in New York.

WICHTIGE EREIGNISSE

- 1972 – Nevelson schenkt ihre monumentale Skulptur *Night Presence IV* der Stadt New York. Momentan ist sie an der Park Avenue und East 92nd Street installiert.
- 1985 – Nevelson erhält im Weißen Haus in Washington die National Medal of the Arts.

TRIUMPH UND TRÜBSAL

Künstlerinnen, die zwischen 1900 und 1925 geboren wurden

-

Natürlich hat die Kunst kein Geschlecht, aber Künstler haben eines.

-

Lucy Lippard, 1973

ALICE NEEL
1900–1984

»Ich bin eine altmodische Malerin. Ich male Landszenen, Stadtszenen, Figuren, Porträts und Stillleben. Stillleben sind eine Erholung. Es geht nur ums Entwerfen und Nachdenken über das Leben, über Farben und oft über Blumen.« Alice Neel, mit ihrer Vorliebe für realistische Porträtmalerei und beruhigende Stillleben, hat auf ihre Mitmenschen vielleicht wirklich wie eine altmodische Malerin gewirkt. Ihr Realismus ging gegen den Strich der führenden zeitgenössischen Kunstbewegungen wie des Abstrakten Expressionismus und Minimalismus. Dennoch drücken ihre Darstellungen von Freunden, Familienmitgliedern, Nachbarn und der Stars der Kunstwelt zentrale Aspekte des Menschseins auf herausragende Weise aus. Neels Porträts vermitteln einen außerordentlich großen Umfang an Gefühlen, darunter mütterliche Liebe, Verletzlichkeit und Tiefsinn.

Neels Privatleben, das oft als Sprungbrett für ihre Arbeit diente, war turbulent. Nach ihrem Abschluss an der Philadelphia School of Design for Women (heute Moore College of Art and Design) im Jahre 1925 heiratete sie den kubanischen Künstler Carlos Enríquez. Das Paar zog nach New York, wo Neel zwei Töchter zur Welt brachte, von denen eine schon früh verstarb. Die Trauer sowie die Schwierigkeiten, die eine unabhängige Künstlerkarriere mit sich brachten, führten bei Neel zu einem Nervenzusammenbruch. Ihr Ehemann war mit der zweiten Tochter nach Kuba zurückgekehrt, während sie in New York zurückblieb. Die Künstlerin ging eine Beziehung mit Kenneth Doolittle ein und zog 1932 mit ihm zusammen. In einem Wutanfall zerstörte Doolittle jedoch Hunderte von ihren Zeichnungen, was zur Trennung des Paares im Jahre 1934 führte.

Aufgrund ihres realistischen Stils war Neel perfekt für die öffentlichen Projekte geeignet, die von zwei Regierungsstellen gefördert wurden, nämlich Public Works of Art und Works Progress Administration, auf die sie von 1933 bis 1945 finanziell und künstlerisch

Alice Neel
Andy Warhol, 1970
Öl und Acrylfarbe auf Leinen, 152,4 x 101,6 cm
Whitney Museum of American Art, New York

Neels antiheroische Darstellung von Warhol zielt darauf ab, den Mann hinter dem Mythos zu enthüllen. Vor einem schlichten Hintergrund und ohne Hemd stellt Warhol die Narben zur Schau, eine Folge des Messerangriffs der feministischen Autorin Valerie Solanas zwei Jahre zuvor.

NEEL '73

Alice Neel
Linda Nochlin and Daisy, 1973
Öl auf Leinwand,
141,9 x 111,8 cm
Museum of Fine Arts,
Boston

1973 bat Neel Nochlin, gemeinsam mit ihrer Tochter Daisy für ein Porträt Modell zu stehen. Man sollte *Linda Nochlin and Daisy* als eine Huldigung an die mütterliche Liebe verstehen sowie als eine Erinnerung an die Kämpfe, die Frauen auszutragen haben, wenn sie sich als unabhängige Personen etablieren. Für dieses Porträt reisten Nochlin und ihre Tochter Daisy fünfmal von Poughkeepsie (ihrem Wohnort) nach New York.

zählte. In dieser Zeit war Neel kurz mit dem puerto-ricanischen Musiker José Santiago zusammen, mit dem sie einen Sohn bekam. Später hatte sie einen weiteren Sohn mit dem Fotografen und Filmemacher Sam Brody.

In den 1960er-Jahren, nachdem ihre Kinder groß waren, konnte Neel der Malerei wieder mehr Zeit widmen. »Sobald ich vor einer Leinwand saß, war ich glücklich. Weil das eine Welt war und ich in ihr machen konnte, was ich wollte.« Leute, die für Neel Modell saßen, waren ein wesentlicher Teil dieser betörenden Welt, und im Oktober 1970 kam Andy Warhol, eine der führenden Figuren des Pop Art, in Neels Apartment, um sein Porträt malen zu lassen (S. 77). In *Andy Warhol* stellt Neel den Künstler als einen verletzlichen Mann dar und nicht als Berühmtheit der Kunstwelt. Neel kommentierte Warhols Erfolg einmal so: »Ich glaube, er ist der größte lebende Werbefachmann, aber kein großartiger Porträtmaler. Von Brillo zu Porträts, nicht wahr. Aber seine Tomatendosen sind ein toller Beitrag.«

Ab den 1970er-Jahren wurde Neels Werk zunehmend anerkannt, vor allem von feministischen Kritikern und Kunsthistorikern. Eine starke Verfechterin von Neels Arbeit war die Kunsthistorikerin Linda Nochlin, die die Malerin im Jahre 1974 in ihre bahnbrechende Ausstellung »Women Artists, 1550–1950« im Los Angeles County Museum aufnahm. Als Unterstützerin der feministischen Sache schuf Neel eine Reihe von Porträts von Schlüsselfiguren der Frauenbewegung, wie etwa *Linda Nochlin and Daisy* (1973; gegenüber). Als sie in New York starb, hinterließ sie mehr als 3.000 Porträts.

WICHTIGE EREIGNISSE

- 1959 – Neel tritt neben Gregory Corso, Mark Frank, Allen Ginsberg, Jack Kerouac und Peter Orlovsky in dem Beatnik-Film *Pull My Daisy* auf.
- 1979 – Neel erhält vom National Women's Caucus for Art in New York eine Auszeichnung für ihr Lebenswerk.

BARBARA HEPWORTH
1903–1975

Barbara Hepworth
Biolith, 1948–1949
Blauer Kalkstein (Ancaster-Stein), 119,4 x 67,3 x 38 cm, ohne Marmorsockel
Yale Center for British Art, New Haven

Abstrakte Formen spielten eine wichtige Rolle in Hepworths Werk. In *Biolith* stellt sie eine biomorphe Form dar, die aus Kalkstein gemeißelt ist. Form und Thema bilden hier eine Einheit, da die Form der Skulptur sich aus den Materialeigenschaften des Kalksteins ergibt.

Die britische Bildhauerin Barbara Hepworth wurde in Wakefield, Yorkshire, geboren und ist vermutlich vor allem für ihre Nähe zur modernistischen Künstlerkolonie in St. Ives, Cornwall, bekannt. Ihr Werk drehte sich um Form und Abstraktion und darum, wie sich die menschliche Figur zur Natur verhält. Auch Farbe und Struktur waren wichtig. Die Künstlerin war sich der speziellen Eigenschaften der von ihr verwendeten Materialien genau bewusst, und anstatt einem Material eine Form aufzuzwingen, passte sie ihre Motive an die Strukturen an, mit denen sie arbeitete.

In den 1920er-Jahren besuchte sie zuerst die Leeds School of Art, wo sie den Bildhauer Henry Moore kennenlernte, und dann das Royal College of Art in London. 1925 heiratete Hepworth ihren Bildhauerkollegen John Skeaping, mit dem sie in Florenz lebte. Das Paar kehrte 1926 nach England zurück und 1929 wurde ihr Sohn Paul geboren. Nach ihrer Trennung von Skeaping im Jahre 1931 begann Hepworth eine Beziehung mit dem Maler Ben Nicholson, den sie 1938 heiratete; ihre Drillinge Simon, Rachel und Sarah waren bereits 1934 zur Welt gekommen.

Gemeinsam mit Nicholson stellte Hepworth Verbindungen zur europäischen Avantgarde her, traf in Paris Constantin Brâncuși und besuchte Hans Arps Atelier in Meudon. Am wichtigsten war jedoch, dass sie der Gruppe »Abstraction-Création« in Paris beitraten, die die Vorrangstellung der Abstraktion gegenüber der figürlichen Darstellung vertraten. Hepworth und Nicholson setzten sich außerdem entschieden dafür ein, dass Künstler, die sich auf der Flucht vor den – sich in den 1930ern in Europa ausbreitenden – totalitären Regimes befanden, in England bleiben konnten.

Beim Ausbruch des Zweiten Weltkriegs zogen Hepworth und Nicholson nach St. Ives in Cornwall, wohin ihnen Naum Gabo und seine Frau folgten. Die Beengtheit ihrer Unterkunft zwang Hepworth, die Größe ihrer Arbeiten drastisch zu verringern und sich der Malerei zuzuwenden. 1942 zogen sie in ein größeres Haus, wo Hepworth ein Atelier hatte und an größeren Skulpturen arbeiten konnte. 1949 kaufte sie Trewyn Studio in St. Ives. Dort lebte und arbeitete sie bis zu ihrem Tode.

WICHTIGE EREIGNISSE

- 1937 – Veröffentlichung des einflussreichen *Circle: International Survey of Constructive Art*, entworfen von Hepworth und Sadie Martin.
- 1965 – Hepworth wird zur Kuratorin der Tate Gallery ernannt; sie ist die erste Frau auf diesem Posten, den sie bis 1972 behält.

FRIDA KAHLO
1907–1954

Frida Kahlo, legendär schon zu Lebzeiten, gehört zu den bekanntesten Künstlerinnen aller Zeiten. Verheiratet mit dem berühmten Maler Diego Rivera, lud sie zu mythischen und hintergründigen Interpretationen ihres Lebens und ihrer Werke ein. Sie wurde 1907 in Coyoacán (einem Vorort von Mexiko-Stadt) geboren. Mit 18 Jahren war sie in einen schweren Verkehrsunfall verwickelt, auf den zahllose Operationen, Krankenhausaufenthalte und wiederholte Phasen von Bettruhe folgten.

1922 traf Kahlo zum ersten Mal auf Rivera, der an einem Wandbild für die Escuela Nacional Preparatoria arbeitete, die sie besuchte. Die beiden heirateten 1929. Ihre Beziehung war stürmisch, beide hatten Affären und sie ließen sich 1939 scheiden, nur um 1940 erneut zu heiraten. 1954 starb Kahlo in der La Casa Azul (Blaues Haus) in Coyoacán. La Casa Azul ist heute für die Öffentlichkeit zugänglich und beherbergt das Museo Frida Kahlo.

Kahlos Werke stellen oft ihre Person in den Fokus. Selbstporträts sind ein wesentlicher Teil ihres relativ kleinen Œuvres. Während ihre frühesten Selbstdarstellungen auf der Porträtmalerei der italienischen Renaissance basieren, gehen in ihren späteren Arbeiten Realismus und Fantasie nahtlos ineinander über. In ihren Porträts vermischt Kahlo ihr nach außen hin sichtbares und ihr inneres Selbst. Dadurch lenkt sie die Aufmerksamkeit auf verschiedene Themen, wie etwa ihre Rolle als Frau, ihre körperliche Verletzlichkeit und ihre mexikanische Identität, während sie gleichzeitig ihren Platz in der Welt hinterfragt. Auch ihre vergeblichen Versuche, Mutter zu werden, nehmen in grafisch düsteren Gemälden zentralen Raum ein.

Ungeachtet ihrer Freundschaft mit André Breton wehrte sich Kahlo dagegen, von ihm als Surrealistin bezeichnet zu werden – sie sah sich als unabhängig von jeder zeitgenössischen Kunstbewegung.

Frida Kahlo
Selbstbildnis mit Affen, 1938
Öl auf Hartfaserplatte, 40,6 x 30,5 cm
Albright-Knox Art Gallery, Buffalo

Affen sind ein häufig verwendetes Motiv in Kahlos Werk. Für die Künstlerin, die in ihrem Garten in La Casa Azul Affen hielt, repräsentierten diese Tiere die Kinder, die sie nicht haben konnte.

WICHTIGE EREIGNISSE

- 1936 – Kahlo und Rivera unterstützen den Kampf der Republikaner im Spanischen Bürgerkrieg.
- 1943 – Kahlos Werk ist in »The Exhibition by 31 Women« in Peggy Guggenheims Galerie Art of this Century in New York vertreten.

MARIA HELENA VIEIRA DA SILVA
1908–1992

Maria Helena Vieira da Silva wurde 1908 in Lissabon als Kind einer wohlhabenden Familie geboren. Ihr Vater starb, als sie erst zwei Jahre alt war, sodass sich nun ihre Mutter, gemeinsam mit einer Tante, um sie kümmerte. Bereits als Kind lernte sie Avantgarde-Kunst wie die der italienischen Futuristen und das Ballets Russes kennen und entwickelte gleichzeitig einen ausgeprägten Musikgeschmack. 1919 schrieb sie sich an der Academia Nacionale de Belas Artes in Lissabon ein. 1928 zog sie nach Paris, um ihre Ausbildung an der Académie de la Grande-Chaumière fortzusetzen. Dort traf sie ihren zukünftigen Ehemann Árpád Szenès. 1929 gab sie die Bildhauerei zugunsten der Malerei auf. Beim Ausbruch des Zweiten Weltkriegs flohen Vieira da Silva und Szenès nach Portugal und später nach Rio de Janeiro. 1947 kehrten sie nach Paris zurück.

Vieira da Silvas Werk vereint eine Vielzahl an Stilen und Einflüssen. Einerseits wurde ihre Wahrnehmung von Raum und dessen Darstellung von den architektonischen Flächen der Stadt und der dekorativen Geometrie der spanisch-arabischen Azulejo-Kacheln (typisch für die portugiesische Kultur) beeinflusst. Andererseits erinnert Vieira da Silvas Darstellung von Rhythmus und Mustern an die Abstraktion von Kubismus und Futurismus. 1931 soll eine scheinbar unbedeutende Begebenheit ihren Stil entscheidend beeinflusst haben. Während eines Besuchs in Marseilles mit ihrem Mann malte sie eine Schwebefähre. Aus Sicht der Malerin teilt die Fähre den Raum auf und trennt den Himmel vom Meer. Diese geometrische Aufteilung des Raumes hatte einen bleibenden Einfluss auf Vieira da Silva, die nun mit fliehenden Perspektiven und Liniengittern experimentierte.

Nach dem Zweiten Weltkrieg errang die Künstlerin großen Ruhm und Anerkennung. In den 1950er-Jahren verschwammen in ihren Gemälden zunehmend die Grenzen zwischen Stadt und Natur. In den gezackten Ebenen und unregelmäßigen Gitterstrukturen der Künstlerin wurden sie eins. Vieira da Silva malte bis in die späten 1980er-Jahre weiter. Sie erhielt zahllose Auszeichnungen, darunter im Jahre 1962 den Commandeur de l'Ordre des Arts et des Lettres. Sie starb 1992 in Paris.

Maria Helena Vieira da Silva
L'oranger, 1954
Öl auf Leinwand,
73 x 92 cm
Calouste Gulbelkian Museum, Lissabon

In *L'oranger* wird Raum durch eine Reihe sich überschneidender Linien und Flächen dargestellt. Der Titel legt zwar nahe, dass es sich um die Darstellung eines Orangenbaums handelt, die Umsetzung jedoch vermittelt ein Gefühl von Bewegung und Lebendigkeit, die eher an eine Stadtszene als an die Ruhe des Landlebens erinnert.

WICHTIGE WERKE

- *Die Optische Maschine*, 1937, Centre Georges Pompidou, Paris, Frankreich
- *Der Korridor*, 1950, Tate, London, Großbritannien
- *Aix-en-Provence*, 1958, Solomon R. Guggenheim Museum, New York, USA

WICHTIGE EREIGNISSE

- 1933 – Vieira da Silva erhält ihre erste Einzelausstellung in der Galerie Jeanne Bucher in Paris.
- 1961 – Die Künstlerin bekommt den ersten Grand Priz auf der Biennale in São Paulo.
- 1966 – Sie ist die erste Frau, die den französischen Grand Prix Nationale des Arts verliehen bekommt.
- 1968 – Die ersten Buntglasfenstern der Künstlerin (in Zusammenarbeit mit Charles Marq und Brigitte Simon) werden in der Südkapelle des Ostflügels der Kirche St. Jacques in Reims eingesetzt.
- 1990 – Gründung der Stiftung Árpád Szenès – Vieira da Silva in Lissabon.

LOUISE BOURGEOIS
1911–2010

Louise Bourgeois
Zelle (Choisy), 1990–1993
Marmor, Metall und Glas, 306 x 170,1 x 241,3 cm
Collection Glenstone Museum, Potomac

Eingeschlossen in die Zelle ist eine exakte Replik von Bourgeois' Elternhaus in Choisy-le-Roi. Es bleibt immer in einem Zustand der Ungewissheit gefangen, da die Guillotine das Haus ständig bedroht, aber es niemals schafft, es zu zerstören. Bourgeois deutete an, dass die Guillotine für »die Vergangenheit steht, von der sich die Gegenwart befreit«. In diesem Fall war die Angst, die Bourgeois zu überwinden suchte, an die Beziehung ihres Vaters mit ihrem Kindermädchen gekoppelt.

Louise Bourgeois wurde in Paris geboren. Schon als Kind half sie ihren Eltern in deren Werkstatt beim Restaurieren alter Gobelins. Dank dieser Erfahrung erwarb sie technische Fingerfertigkeiten, die sich auf ihre Arbeit als Künstlerin auswirkten. Ihre Kindheit wurde von der Affäre ihres Vaters mit ihrem englischen Kindermädchen Sadie Gordon überschattet. Erinnerungen an diesen Betrug und mehr noch an die diktatorische Persönlichkeit ihres Vaters tauchen in ihrem Leben und ihrem Werk immer wieder auf.

Bourgeois unterzog den menschlichen Körper einer genauen Prüfung, die Gefühle wie Einsamkeit, Schmerz, Gefahr, Leidenschaft und Eifersucht zutage brachte. Obwohl ihr Werk sich mit Weiblichkeit und deren Problemen auseinandersetzte, lehnte sie die Bezeichnung »Feministin« kategorisch ab. Als Feministen sie zum Vorbild erkoren, erklärte sie, dass sie »nicht daran interessiert ist, Mutter zu sein«, da sie sich mehr wie »ein Mädchen fühlt, das versucht, sich selbst zu verstehen«. Bourgeois' Werk war also eher eine andauernde Reise zu sich selbst.

1938 heiratete Bourgeois den amerikanischen Kunsthistoriker Robert Goldwater und zog mit ihm nach New York, wo sie den Rest ihres Lebens verbrachte. Inspiriert von den Wolkenkratzern schuf Bourgeois eine Reihe von Skulpturen, die menschliche Züge mit architektonischen Eigenschaften verbanden. Zu diesen frühen Werken – den sogenannten *Personages* – gehört *Porträt von Jean-Louis* (1947–1949), ein Porträt ihres Sohnes. Bourgeois nutzt hier eine Mischung aus abstrakten und figürlichen Formen, eine Eigenart, die sich auch in vielen ihrer späteren Arbeiten findet. Anfang der 1960er wurden die säulenartigen *Personages* durch organischer geformte Skulpturen abgelöst, die nun den überwiegenden Teil ihrer bildhauerischen Arbeit bildeten.

Ab den 1980er-Jahren veränderte sich der Maßstab ihres Werks ganz dramatisch – von relativ moderat zu monumental. Beispielhaft dafür ist die zimmergroße Installation *Zelle (Choisy)* (1990–1993; gegenüber). Geboren aus dem Wunsch, einen Raum zu konstruieren, in dem der Betrachter herumlaufen kann, erinnert *Zelle (Choisy)* an die Beschränkungen einer Gefängniszelle sowie an die Verbindung zwischen Blutzellen. Als Raum der Anziehung und der Gefangenschaft dreht sich alles um Geschichte und Erinnerung.

Maman (1999; umseitig) gehört zu den bekanntesten Werken von Bourgeois. Die riesige Skulptur, die eine Spinne darstellt, handelt von Mutterschaft. Die Spinne repräsentiert die Figur der Mutter, die unter ihrem Bauch eine Kiste voller Marmoreier hütet. Bourgeois hinterließ ein umfangreiches Werk aus Skulpturen, Zeichnungen, Tagebüchern und Drucken.

WICHTIGE EREIGNISSE

- 1966 – Bourgeois zeigt ihre Arbeiten in der Ausstellung »Eccentric Abstraction«, organisiert von der Kritikerin und Kuratorin Lucy Lippard in der Fischbach Gallery in New York. Weitere Künstler sind u. a. Eva Hesse und Bruce Nauman.
- 1982 – Am Museum of Modern Art (MoMA) in New York wird Bourgeois' Retrospektive eröffnet. Es war die erste Retrospektive am MoMA für eine Künstlerin.

Louise Bourgeois
Maman, 1999
Bronze,
927,1 x 891,5 x 1023,6 cm
Privatsammlung

***Maman* bedroht das Tabu der Mutterschaft, indem es die Ambivalenz dieser belasteten Rolle enthüllt, die gleichzeitig nährend und räuberisch sein kann. Die überlebensgroßen Ausmaße der Spinne sind furchterregend, während die Sorgfalt, mit der sie ihre Eier beschützt, aus ihr ein Symbol der Beruhigung und Sicherheit macht.**

GEGO
1912–1994

Gego (geboren als Gertrud Louise Goldschmidt) stammt aus einer liberalen jüdischen Familie in Hamburg. Sie studierte Architektur an der Universität Stuttgart und machte dort 1938 ihren Abschluss. Am Anfang des Zweiten Weltkriegs 1939 war Gego gezwungen, aus Deutschland zu fliehen. Sie emigrierte nach Venezuela, wo sie als freiberufliche Architektin und Gestalterin arbeitete. Ab Mitte der 1950er wandte sie sich der Kunst zu, wobei sie sich besonders auf die Beziehung zwischen Linie und Raum konzentrierte. Venezuela durchlief damals eine Zeit der rasanten Urbanisierung und Modernisierung. Kunst und vor allem geometrische Abstraktionen sowie kinetische Experimente galten als kulturelle Zeichen der Umwandlung des Landes. Gegos Arbeiten hatten zwar einige Gemeinsamkeiten mit diesen führenden Tendenzen, dennoch widerstand sie einer Kategorisierung und arbeitete lieber unabhängig.

Gego war technisch unwahrscheinlich vielseitig und schuf u. a. Architektur, Zeichnungen, Holzschnitte und Skulpturen. Ihre Ausbildung zur Architektin wirkte sich entscheidend auf ihr Verständnis und ihre Erforschung des Raumes durch Licht und flexible Strukturen aus. *Reticulárea (Ambientacion)*, im Jahre 1969 installiert am Museo de Bellas Artes in Caracas, ist ein hervorragendes Beispiel für ihre *Reticuláreas*-Serie (gegenüber). Konzipiert als große, spinnenwebartige Struktur, besteht *Reticulárea (Ambientacion)* aus eloxiertem Aluminium und Edelstahlseilen unterschiedlicher Stärke, die mittels Gelenken miteinander verbunden sind. Die Wirkung ist sowohl eindringlich als auch überwältigend. Die einander überschneidenden Flächen erzeugen einen ungleichmäßigen geometrischen Effekt, der die Arbeit instabil erscheinen lässt und ständig in Bewegung zu sein scheint. Ihre *Dibujos sin papel* (*Zeichnungen ohne Papier*; umseitig) erkunden ebenfalls die Beziehung zwischen Linie

Gego
Reticulárea (Ambientacion), 1969
Eisen und Edelstahl,
variable Ausmaße
Fundación de Museos Nacionales Collection, Caracas

***Reticulárea (Ambientacion)* besitzt das Potenzial für eine unendliche Ausdehnung. Das Kunstwerk basiert auf einer flexiblen und variablen Matrix, die an unterschiedliche Orte angepasst werden kann. Durch dieses raumgreifende Gitter wird offenbar, wie Gegos Werk mit dem Raum interagiert: indem es ein Erlebnis schafft, das sich entsprechend den individuellen Reaktionen der Betrachter ständig ändert.**

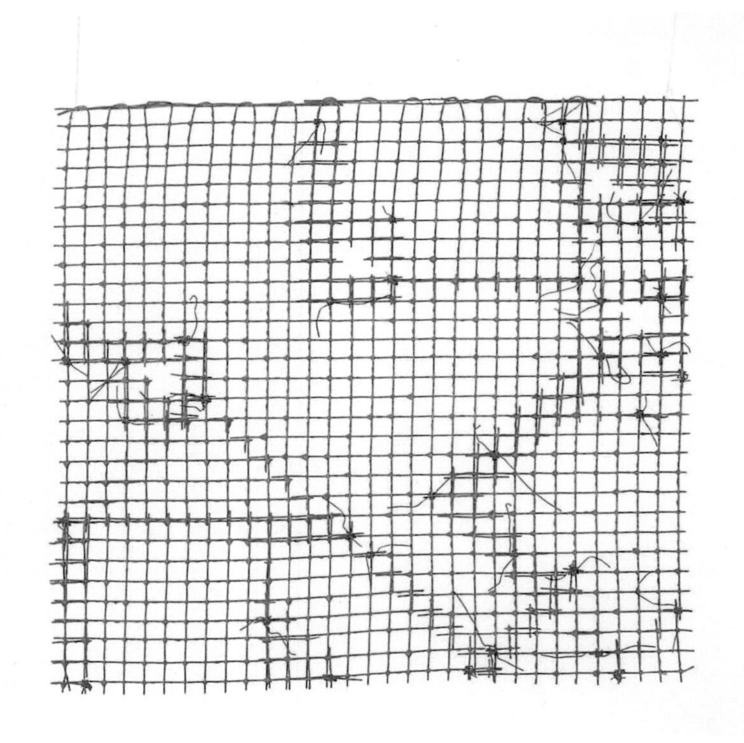

und Masse. Diese 1976 entstandene Serie basiert auf der Idee des Zeichnens ohne Papier – die Zeichnung entsteht, indem durch eine schwebende Metallstruktur ein Schatten an eine Wand geworfen wird.

In den 1960ern lehrte Gego an der Fakultät für Architektur der Universidad Central de Venezuela und der Escuela de Artes Plásticas Cristóbal Rojas. Sie war Mitbegründerin des Instituto de Diseño Neumann in Caracas, wo sie von 1964 bis 1977 unterrichtete. Im Laufe ihrer Karriere war sie an einer Reihe von öffentlichen Projekten beteiligt, für die Skulpturen in öffentlichen Gebäuden, Wohnanlagen und Einkaufszentren entstanden.

Gego
Dibujo sin papel 87/25, 1987
Eisen und Kupfer, 25,5 x 27 x 0,75 cm
Archivo Fundación Gego, Caracas

Man kann die Zerbrechlichkeit und Unsicherheit des *Dibujo sin papel* als Kontrapunkt zu der Präzision und Raffinesse der zeitgenössischen kinetischen Werke sehen. Das Quadrat besteht aus einem uneinheitlichen gewebten Muster. Durch die Abweichung von einem klaren geometrischen Muster schwankt diese Arbeit zwischen Genauigkeit und Unordnung.

WICHTIGE EREIGNISSE

- 1960 – Gegos Skulptur *Sphere* (1959) wird in die Sammlung des Museum of Modern Art (MoMA) in New York aufgenommen.
- 1972 – Gego schafft *Cuerdas* (Kabel), eine Installation aus Nylon und Stahl für den Parque Central von Caracas.

AGNES MARTIN
1912–2004

In einem Interview wurde Agnes Martin einst gefragt: »Was sollen Ihre Bilder sagen?« Ihre Antwort: »Ich möchte, dass sie Schönheit, Unschuld und Freude vermitteln; es wäre schön, wenn sie alle das vermitteln würden. Begeisterung.« Diese offene, aber auch erhabene Antwort gibt ihr Ziel für ihre äußerst raffinierten, ungegenständlichen Gemälde vor. Die abstrakten Bilder waren spärlich, fast schon leer. Indem sie ihre Kompositionen auf wenige Elemente reduzierte, stellte sie den Zweck der Malerei als Darstellungsform infrage und erreichte eine transzendente Qualität.

Martin verließ ihre Heimat Kanada im Jahre 1931, um in Bellingham (Washington) ein Lehrerstudium aufzunehmen, das sie in New York abschloss. Waren ihre frühen Werke meist figürlich und zeigten Landschaften sowie florale Arrangements, wandte sie sich später der Abstraktion zu, einer Richtung, die sie bis zum Ende ihres Lebens verfolgte. Auch wenn Martin in einer künstlerisch sehr aufregenden Zeit in New York lebte, zog sie es vor, allein zu wohnen und zu arbeiten und sich nur kurz mit ihren Zeitgenossen auszutauschen. 1958 hatte sie in der Galerie von Betty Parsons in New York ihre erste Einzelausstellung. Ab dieser Zeit strebte sie danach, in ihrer Kunst die kompositorischen Elemente stetig zu verringern. Farben, die in ihren früheren Werken vorherrschten, wichen zugunsten von Weiß, Raster und Linien wurden immer subtiler. Wie Georgia O'Keeffe liebte Martin das einsame Leben, das New Mexico bot. Deshalb zog sie 1967 dorthin und lebte bis zu ihrem Lebensende in völliger Zurückgezogenheit.

Agnes Martin
Little Sister, 1962
Öl, Tinte und Messingnägel auf Leinwand und Holz, 25,1 x 24,6 cm
Solomon R. Guggenheim Museum, New York

Das Gitter ist ein wichtiges Merkmal von Martins Werk. Es ist jedoch ganz offensichtlich an einen leeren Rahmen gebunden, der vermuten lässt, dass das Gitter im Zentrum von *Little Sister* begrenzt ist und nicht unendlich erweitert werden kann.

WICHTIGE EREIGNISSE

- 1997 – Martin wird auf der 47. Biennale in Venedig der Goldene Löwe für ihr Lebenswerk verliehen.
- 2002 – Zur Feier ihres 90. Geburtstags wird vom Harwood Museum of Art der University of New Mexico ein großes Symposium organisiert.

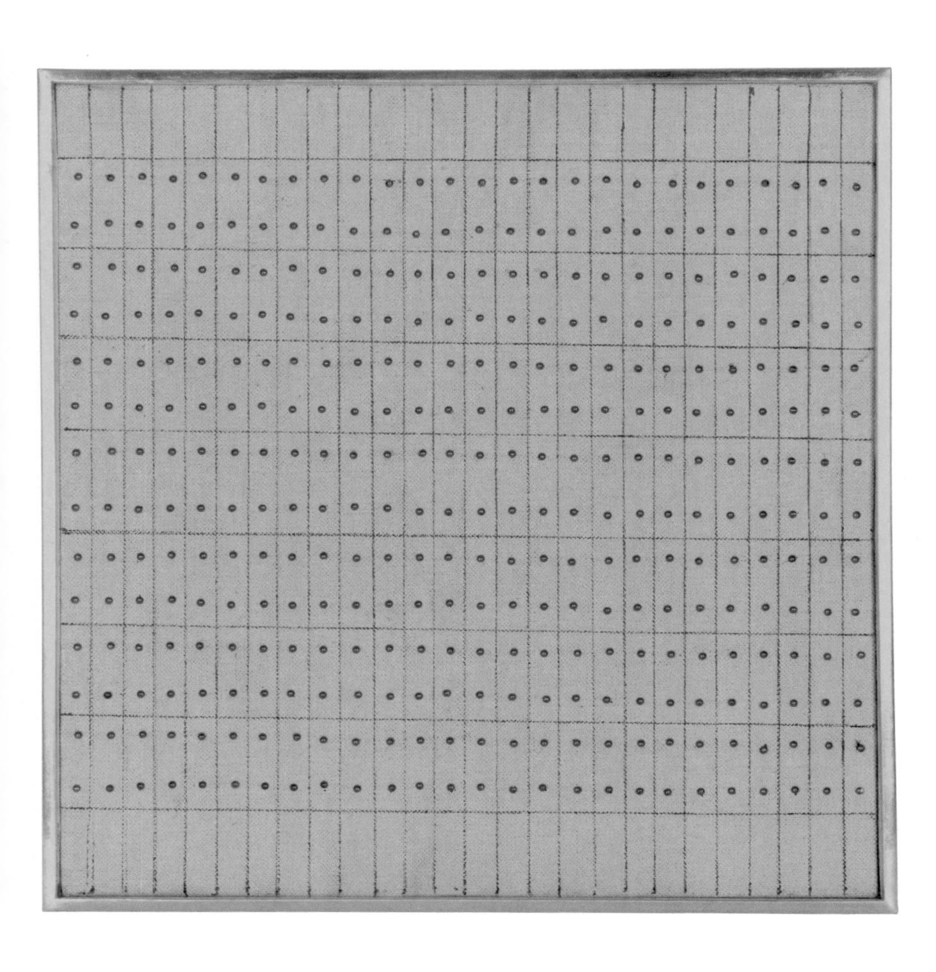

AMRITA SHER-GIL
1913–1941

Amrita Sher-Gil sagte einmal: »Europa gehört Picasso, Matisse und Braque und vielen anderen. Indien gehört nur mir.« Durch diese kühne Behauptung machte Sher-Gil klar, dass ihre Kunst für Indien das ist, was diese drei Männer und ihre vielen Anhänger für Europa waren: revolutionär. Sie stellte sich selbst als Leuchtturm der modernen indischen Kunst dar, und in der Tat ist sie sowohl in Indien als auch im Rest der Welt dafür bekannt. Sher-Gil, die indischer Abstammung war, wurde in Budapest geboren, wo sie auch die ersten acht Jahre ihres Lebens verbrachte. 1921 verließ sie mit ihrer Familie Europa und zog nach Simla in Nordindien. Einige Jahre später schickte ihre Mutter Amrita und deren Schwester nach Florenz, damit sie dort ihre künstlerische Ausbildung perfektionierten. Allerdings war der Aufenthalt in Italien nur kurz und schon nach fünf Monaten waren die Schwestern zurück in Simla.

Die Ankunft von Sher-Gils Onkel Ervin Baktay im Jahre 1927 war ein Wendepunkt in der Entwicklung der Künstlerin. Er erkannte sofort ihr Talent und ermutigte sie, es durch ein Studium in Paris weiterzuverfolgen. Daher zog die ganze Familie 1929 nach Paris, wo Sher-Gil sich zuerst an der Académie de la Grande Chaumière und dann an der École Nationale des Beaux-Arts einschrieb. 1933 stellte sie *Junge Mädchen* (1932) beim Grand Salon aus und wurde durch dieses Bild Mitglied der prestigeträchtigen Société Nationale. Das Werk gilt als Genrebild, bei dem der Betrachter Einblick in ein intimes *tête-à-tête* zwischen zwei Mädchen gewinnt. Es zeigt Amritas Schwester Indira, sitzend und vollständig bekleidet dem Betrachter zugewandt, und eine Freundin – ein spärlich bekleidetes Mädchen mit langen blonden Haaren. Sher-Gil fing die gegenseitige Zuneigung der beiden ins Gespräch vertieften Mädchen ein.

1934 kehrte sie mit ihren Eltern nach Simla in Indien zurück, wo sie den ambitionierten Plan fasste, die moderne Kunst in Indien bekannt zu machen. Mit der Weiterentwicklung ihrer Kunst legte Sher-Gil den akademischen Stil ab, den sie in Paris erlernt hatte,

Amrita Sher-Gil
Selbstbildnis als Tahitianerin, 1934
Öl auf Leinwand,
90 x 56 cm
Sammlung von Navina und Vivan Sundaram

In diesem Selbstbildnis stellt Sher-Gil sich als tahitianisches Mädchen dar. Die Arbeit zeigt, wie Sher-Gil sich von einem akademischen, realistischen Stil entfernte und zunehmend moderne Formen übernahm. Die Komposition ist flach und die Farben sind kräftig, während das Motiv ganz klar eine Verbeugung vor Paul Gauguins Gemälden polynesischer Mädchen ist.

A. SHER-GIL

Amrita Sher-Gil
Gruppe mit drei Mädchen, 1935
Öl auf Leinwand, 73,5 x 99,5 cm
National Gallery of Modern Art, New Delhi

Sher-Gil malte dieses Bild nach ihrer Rückkehr aus Europa im Jahre 1934. Das Gemälde zeigt drei farbenfroh gekleidete Mädchen vor einem schlichten, sandfarbenen Hintergrund. Ihre Gesichter sind ernst und verraten einen gewissen Grad an Resignation angesichts einer Zukunft, über die sie keine Kontrolle besitzen.

und entdeckte ihre indischen Wurzeln wieder. Sie bemühte sich, ihre Kenntnis der indischen Kunst zu vertiefen, indem sie studierte und ausgiebig herumreiste. Werke wie *Gruppe mit drei Mädchen* (1935; gegenüber) zeigen, wie sie den Stil der Hindu-Miniaturen und der einheimischen Maler in die synthetische Einfachheit integrierte, die sie bei europäischen Meistern wie Paul Gauguin und Amedeo Modigliani vorgefunden hatte. Für die künstlerische Erneuerung der indischen Kunst kombinierte sie einheimische Werte mit einem modernen europäischen Stil.

Während ihrer Zeit in Indien fühlte sie sich von den vielen Bekanntschaften, die sie schloss, intellektuell herausgefordert und motiviert; dazu gehörten der politische Führer Jawaharlal Nehru, den sie 1937 kennenlernte. 1938 ging sie erneut nach Europa, wo sie ihren Cousin Victor Egan heiratete. Bald darauf kehrte das Paar nach Indien zurück, wo Egan versuchte, eine Arztpraxis aufzubauen und Sher-Gil sich der Malerei widmete. Aufgrund einer tödlichen Erkrankung starb Sher-Gil 1941 mit nur 28 Jahren. Ungeachtet ihrer kurzen Karriere gilt ihr Werk immer noch als wichtiger Markstein beim Übergang von der traditionellen zur zeitgenössischen indischen Kunst.

WICHTIGE EREIGNISSE

- 1936 – Sher-Gil nimmt gemeinsam mit den Brüdern Ukil an einer Ausstellung im Hotel Taj Mahal in Bombay (heute Mumbai) teil.
- 1937 – Sher-Gil wird für ihr Gemälde *Gruppe mit drei Mädchen* (gegenüber) bei der »46th Annual Exhibition of the Bombay Art Society« eine Goldmedaille verliehen.

LEONORA CARRINGTON
1917–2011

Leonora Carringtons Œuvre umfasst sowohl Gemälde als auch Schriften. Geboren als Kind einer reichen britischen Familie, studierte Carrington Malerei an Amédée Ozefants Londoner Akademie. 1936 wandte sie sich dem Surrealismus zu. Sie hatte die Bewegung über Herbert Reads Anthologie zu diesem Thema kennengelernt; zusätzlich wurde ihr Interesse durch einen Besuch der »International Surrealist Exhibition« in London geweckt, die 1936 stattfand. Im folgenden Jahr (im Alter von 20 Jahren) lernte Carrington den Maler Max Ernst kennen und zog mit ihm nach Saint-Martin-d'Ardèche in Südfrankreich.

Bei Ausbruch des Krieges wurde Ernst in einem Lager für Ausländer festgesetzt, was dazu führte, dass Carrington 1940 einen Nervenzusammenbruch erlitt. Sie wurde daraufhin in eine Heilanstalt im spanischen Santander eingewiesen. Erinnerungen an diese Zeit finden sich in ihrem Buch *En Bas* (*Unten*), das sie 1945 veröffentlichte. Malen bot ihr ebenso wie das Schreiben ein Ventil für ihr Trauma. In einer Atmosphäre aus Traum und Einbildung enthüllen ihre Gemälde die inneren Kämpfe, die sie durchlebte.

Zwischen 1941 und 1942 lebte Carrington in New York, wo sie aktiv mit den exilierten Pariser Surrealisten zusammenarbeitete. Sie zog dann nach Mexiko und nahm Kontakt mit Partnern der surrealistischen Bewegung wie Remedios Varo und Luis Buñuel auf. Carrington begann zunehmend, eine esoterische Bildsprache in ihre Werke aufzunehmen, die die mythologischen Themen ihrer früheren Gemälde ergänzten. In den 1980ern lebte sie in New York und Chicago, bevor sie nach Mexiko zurückkehrte, wo sie bis zu ihrem Tode blieb.

Leonora Carrington
Selbstporträt, ca. 1937–1938
Öl auf Leinwand, 65 x 81,3 cm
The Metropolitan Museum of Art, New York

Dieses autobiografische Gemälde ist voller traumartiger, symbolischer Referenzen. Das weiße Pferd im Hintergrund steht für Carringtons Verlangen nach Freiheit, während das Schaukelpferd auf ihre Kindheit verweist.

WICHTIGE EREIGNISSE

- 1937 – Carrington assistiert Max Ernst bei dem Bühnenbild für Alfred Jarrys Produktion von *Ubu enchaîné* (*Ubu in Ketten*).
- 1963 – Die Künstlerin wird beauftragt, für das Anthropologische Nationalmuseum in Mexiko-Stadt ein großes Wandbild zu malen: *Die magische Welt der Maya*.

CAROL RAMA
1918–2015

Ich male aus Instinkt und ich male aus Leidenschaft
Und Zorn und Gewalt und Traurigkeit
Und einem gewissen Fetischismus
Und gleichzeitig aus Freude und Melancholie
Und ganz besonders aus Zorn

Diese Aussage von Carol Rama (geborene Olga Carolina Rama) klingt wie eine Absichtserklärung. Die von ihr wiedergegebenen Figuren und Objekte sind das Produkt ihrer eigenen Erfahrung. Ihre frühen Aquarelle – wie *Appassionata* (*Die Leidenschaftliche*, 1943; gegenüber) – zeigen die Heimsuchung von Fantasien und Ängsten, die sie beim Übergang in das Erwachsensein erfuhr. Ihre Arbeiten werden geprägt von Leidenschaft, Gewalt und emotionalem Aufruhr und sind überwiegend autobiografisch. Das Schonungslose dieser Bilder galt als zu extrem für diese Zeit, sodass die Eröffnung ihrer ersten Einzelausstellung im Jahre 1945 in der Galleria Faber in Turin von der Polizei verhindert wurde.

1948 war Ramas Werk erstmals auf der Biennale von Venedig zu sehen. Kurz darauf trat sie der MAC (Movimento per l'arte concreta; Bewegung für konkrete Kunst) bei und wandte sich einer loseren Form der Abstraktion zu. Ihre Arbeiten wurden nun immer taktiler und dreidimensional. So fanden sich in ihren großen Bildern in den 1970ern eine ganze Reihe von Objekten, vom Fahrrad bis zu ausgedrückten Tuben. Später erwachte wieder ihr Interesse an einer intimeren Form der Kunst, die sich mit ihren eigenen Sorgen und Erfahrungen beschäftigte. Ab den 1990er-Jahren stand Ramas Werk im Licht der internationalen Öffentlichkeit und brachte ihr deren Anerkennung ein. Sie starb in Turin – der Stadt, in der sie fast ihr ganzes Leben verbracht hatte.

Carol Rama
Appassionata, 1943
Aquarell auf Papier,
34,5 x 18 cm
Privatsammlung, Turin

Die Zeichnungen der *Appassionata*-Serie entstammen einem autobiografischen Impuls, da sie Ramas Ängste, Wünsche und ihre Faszination für das Groteske zum Ausdruck bringen.

WICHTIGE EREIGNISSE

- 1980 – Ramas Werk wird in der wegweisenden, rein weiblichen Ausstellung »L'altra metà dell'avanguardia« (Die andere Hälfte der Avantgarde) in Mailand gezeigt, kuratiert von der Kritikerin Lea Vergine. Dies führt zu ihrer Wiederentdeckung.
- 2003 – Rama wird auf der 50. Biennale in Venedig der Goldene Löwe für ihr Lebenswerk verliehen.

1943

JOAN MITCHELL
1925–1992

Joan Mitchell
La Chatiere, 1960
Öl auf Leinwand,
195 x 147,3 cm
Sammlung der Joan Mitchell Foundation, New York

Die gemalten Striche mit ihren unterschiedlichen Größen und Bewegungsbahnen verweisen auf das Drücken und Ziehen zwischen gegensätzlichen Kräften.

Joan Mitchell wurde 1925 in Chicago als zweite Tochter des vermögenden Arztes Herbert Mitchell und der Dichterin Marion Strobel geboren. Während der Highschool betätigte sich Mitchell als Eiskunstläuferin und errang den vierten Platz der Junior Women's Division der US-amerikanischen Eiskunstlaufmeisterschaft des Jahres 1942. Sie besuchte zuerst das Smith College in Northampton, Massachussets, und wechselte später auf das School of the Art Institute in Chicago. 1947 zog sie nach New York und lebte dort mit Barney Rosset zusammen, den sie 1949 heiratete. Ab 1950 war sie eng mit der blühenden New Yorker Avantgarde-Szene verbunden und machte u. a. Bekanntschaft mit Franz Kline und Willem de Kooning. 1951 trennte sie sich von Rosset und nahm an der »Ninth Street Show« teil, die von dem Händler Leo Castelli und dem Artists' Club organisiert worden war.

1955 reiste Mitchell nach Paris und lernte Jean-Paul Riopelle, einen Maler der Lyrischen Abstraktion, kennen, der für die nächsten 25 Jahre ihr Partner wurde. Obwohl sie einander liebten und künstlerisch und intellektuell beeinflussten, war die Beziehung recht stürmisch. Mitchell besuchte zwar häufig New York und hatte dort auch viele Ausstellungen, doch seit 1959 malte sie nur in Frankreich. 1967 erwarb sie mit dem Geld, das sie von ihrer Mutter geerbt hatte, ein Anwesen in Vétheuil (nordwestlich von Paris), wo sie von 1968 bis zu ihrem Tode 1992 lebte.

Mitchell gehört wie Helen Frankenthaler (siehe S. 110–111) zur sogenannten »zweiten Generation« der Abstrakten Expressionisten. Ihr Werk, das gestisch und hochgradig abstrakt daherkommt, ist wie das ihres Vorgängers Jackson Pollock chromatisch aufregend. Anstatt einen konzeptuellen Rahmen für ihre Malerei zu suchen, konzentrierte sie sich auf die Komposition und die Beziehung zwischen den unterschiedlichen Elementen, vor allem Farbe und Form. Ihr Stil änderte sich im Laufe der Jahre und ihre Gemälde reichen von einfach bis chaotisch.

WICHTIGE EREIGNISSE

- 1957 – Mitchells Werk ist in der Gruppenausstellung »Artists of the New York School: Second Generation« zu sehen, einem Meilenstein zwischen der ersten und der zweiten Generation der Abstrakten Expressionisten.
- 1966 – Mitchells enger Freund, der prominente Schriftsteller und Dichter Frank O'Hara, stirbt bei einem Unfall. Mitchell widmet ihm daraufhin das Gemälde *Ode to Joy* (1970–1971).

KLISCHEES HINTERFRAGEN

Künstlerinnen, die zwischen 1926 und 1940 geboren wurden

-

Es war schon schockierend, sie da mit ihren riesigen Bildern zu sehen, ganz selbstbewusst in farbverschmierten Jeans, während ihre Zeitgenossinnen in den Vororten, im klassischen Tweed, vom »Weiblichkeitswahn« verfolgt wurden. 1957 waren Künstlerinnen der Avantgarde in der kläglichen Minderheit und damit dem Spott der Gesellschaft und der Kritiker preisgegeben.

-

Barbara Rose, 1974

ALINA SZAPOCZNIKOW
1926–1973

Alina Szapocznikow wurde 1926 in einer jüdischen Familie in Kalisz, Polen, geboren. Als Teenager war sie in verschiedenen Konzentrationslagern interniert. Nach dem Krieg, als Überlebende des Holocaust, studierte sie an der Hochschule für Design in Prag. Von 1947 bis 1951 lebte sie in Paris und studierte dank eines Stipendiums an der École des Beaux-Arts. Zum Ende ihres Studiums kehrte sie nach Polen zurück, wo sie für ihre expressionistischen Skulpturen schnell berühmt wurde. Dennoch verließ sie 1963 ihr Heimatland und kehrte nach Frankreich zurück, wo sie den berühmten Grafiker Roman Cieslewicz heiratete.

Szapocznikow wird vor allem für ihren bahnbrechenden Einsatz unkonventioneller Materialien in ihren Skulpturen gewürdigt. Sie experimentierte mit zeitgenössischen Industrie-Materialien wie Polyesterharz und Polyurethanschaum sowie mit Alltagsgegenständen wie Zeitungsausschnitten und Feinstrumpfhosen, die sie in ihre Assemblages integrierte. Thematisch beschäftigte sich Szapocznikow in ihren Werken vor allem mit ihrem eigenen Körper und seiner Fragmentierung als Metapher für Verlust und Erinnerung. Mit ihren Abgüssen von Körperteilen in grellen Farben wagt sie den Spagat zwischen Surrealismus, Neo-Realismus und Pop Art. Werke wie *Lampe-Bouche* (*Beleuchtete Lippen*; 1966; gegenüber) spielen auf die idiosynkratische Natur des Surrealismus an, verweisen jedoch gleichzeitig auf die Verwendung von Alltagsobjekten in der Pop Art. *Lampe-Bouche*, das den weiblichen Körper in einen Gebrauchsgegenstand verwandelt, ist gleichermaßen verspielt wie verstörend, viszeral und verschroben. Szapocznikow verstarb sehr früh, im März 1973.

Alina Szapocznikow
Lampe-Bouche
(Beleuchtete Lippen), 1966
Farbiges Polyesterharz, Elektroverkabelung und Metall, 48 x 16 x 13 cm
Galerie Loevenbruck, Paris/Hauser & Wirth

Lampe-Bouche **stammt aus einer Lampenserie Szapocznikows und zeigt ein Paar leuchtend roter Lippen am oberen Ende eines Lampenstils. Das Werk verwandelt ein sinnliches weibliches Körperteil in einen Einrichtungsgegenstand. Mit dieser koketten Lampe verweist die Künstlerin darauf, wie nahe Sex und Gebrauchsgegenstände in den 1960ern beieinander liegen.**

WICHTIGE EREIGNISSE

- 1962 – Szapocznikow nimmt an der Carrara Biennale, Italien, teil.
- 2012 – Die Wanderausstellung »Alina Szapocznikow: Sculpture Undone 1955–1972«, organisiert vom WIELS Contemporary Art Centre, Brüssel, und dem Museum für moderne Kunst, Warschau, rückt Szapocznikow wieder in den Fokus der Öffentlichkeit.

HELEN FRANKENTHALER

1928–2011

Helen Frankenthaler wurde in New York in einer reichen Familie geboren. Sie besuchte die prestigeträchtige Dalton School, wo sie bei dem mexikanischen Künstler Rufino Tamayo studierte. Danach schloss sie ihre Ausbildung am Bennington College, Vermont, ab, wo sie von Paul Feely unterrichtet wurde. 1950 nahm sie Unterricht bei Hans Hoffmann, einer der führenden Persönlichkeiten des Abstrakten Expressionismus. Im selben Jahr entschied sich Adolph Gottlieb, Frankenthalers Werk in die Ausstellung »Talent« in der Kootz Gallery in New York aufzunehmen, was ihr den Aufstieg in der New Yorker Kunstszene ermöglichte.

Seit jener Zeit wurde Frankenthaler als Mitglied der zweiten Generation Abstrakter Expressionisten anerkannt, ebenso wie die zeitgenössischen Künstlerinnen Elaine de Kooning, Grace Hartigan und Joan Mitchell. 1958 heiratete sie den Künstler Robert Motherwell, gemeinsam gingen sie auf große Reisen, bis sie sich 13 Jahre später scheiden ließen. 1959 nahm Frankenthaler an der ersten Biennale in Paris teil und erhielt einen ersten Preis.

Frankenthaler sagte einst: »Schönheit muss nicht Pracht bedeuten – Schönheit ist, wenn etwas funktioniert, es mich bewegt, wenn es unbestreitbar ist.« Die Suche nach Schönheit bestimmte Frankenthalers Schaffen von Beginn an. Das wird vielleicht am besten in dem Gemälde deutlich, das ihr zum Durchbruch verhalf: *Mountains and Sea* (1952; links). Hier wird die Natur auf eine Reihe abstrakter und fließender Farbfelder reduziert. Von Lyrik inspiriert, verdankt dieses Gemälde seinen Ruhm der subtilen, jedoch revolutionären Technik der Farbfeldmalerei. Künstler wie Morris Louis und Kenneth Noland setzten sie fortan häufig in ihren Werken ein. Frankenthaler experimentierte unablässig und probierte viele Techniken und Materialien aus. Vor allem ihre Druckarbeiten erwiesen sich als bahnbrechend.

Helen Frankenthaler
Mountains and Sea, 1952
Öl und Kohle auf Leinwand,
219,4 x 297,8 cm
Helen Frankenthaler Foundation, New York; Leihgabe an die National Gallery of Art, Washington, DC

Die Künstlerin schuf dieses Werk, indem sie verdünnte Farbe direkt auf unbehandelte Leinwand goss, die auf dem Boden ihres Ateliers lag. Diese Technik wird auch als Farbfeldmalerei bezeichnet.

WICHTIGE EREIGNISSE

- 1951– Frankenthaler nimmt an der »Ninth Street Show« teil, die von Künstlern mit finanzieller Unterstützung des Kunsthändlers Leo Castelli organisiert wurde. Die Ausstellung zeigte Werke von verschiedenen Künstlerinnen des Abstrakten Expressionismus, darunter Joan Mitchell, Lee Krasner und Elaine de Kooning.
- 1985 – Frankenthaler entwirft die Kostüme und das Bühnenbild für die Produktion *Number Three* des Royal Ballet am Royal Opera House in London.

YAYOI KUSAMA
* 1929

Yayoi Kusama ist für ihre Punktmuster berühmt geworden. Ihre Kunst ist vielseitig: sie reicht von Zeichnen und Malen bis hin zu Bildhauerei sowie Film, Performance und großen Installationen. Kusama wurde 1929 in Mastumoto, Japan, geboren. Sie malte und zeichnete bereits mit zehn Jahren. Später erinnerte sie sich:

> Ich zeichnete jeden Tag. So entstand ein Bild nach dem anderen, so schnell, dass ich sie kaum erfassen konnte. Heute ist es noch immer so, nach mehr als 60 Jahren Malen und Zeichnen. Meine Intention war es immer, Bilder festzuhalten, bevor sie verschwinden.

1948 meldete sich Kusama an der Kyoto Municipal School of Arts and Crafts an. Der dort unterrichtete japanische Stil frustrierte sie jedoch schnell, darum wendete sie sich der europäischen und amerikanischen Avantgarde zu. 1955 bat sie die ältere Künstlerin Georgia O'Keeffe in einem Brief um Rat, »wie sie dieses Leben angehen solle«. Im Jahr darauf erhielt sie ein amerikanisches Visum und reiste in die Vereinigten Staaten. Zuerst ließ sie sich 1957 in Seattle, dann 1958 in New York nieder. Sie begann, mit großformatigen Kompositionen zu experimentieren, was zu ihren heute so berühmten *Infinity-Net*-Gemälden führte. Die Oberflächen dieser Werke sind mit faszinierenden Mustern aus Punkten und Netzen überzogen.

Kusama führte 1965 Spiegel in ihre Kunst ein, ihnen folgten 1966 elektrische Lichter in ihren Installationen, den *Infinity Mirrored Rooms*.

Yayoi Kusama
Infinity Mirrored Room – Filled with the Brilliance of Life, 2011
Holz, Spiegel, Plastik, Acryl, LEDs, Aluminium, 300 x 617,5 x 645,5 cm
Victoria Miro Gallery, London und Ota Fine Arts, Tokio / Singapur / Shanghai

Dieses Werk mit den gespiegelten und gepunkteten Lichtern ist beispielhaft für Kusamas selbstkonstruiertes Universum.

Phalli's Field, ihr erster *Infinity Mirrored Room*, wurde 1965 in der Castellane Gallery in New York gezeigt. Mitte der 1960er-Jahre arbeitete Kusama außerdem an einer Serie, die als *Accumulations* bekannt wurde, darin überzieht sie Skulpturen und Collagen mit genähten Phallusdarstellungen und anderen Objekten wie Nudeln, Blumen und Briefmarken.

Sie blieb bei ihrem Markenzeichen, den Polka Dots, und arrangierte Ende der 1960er zahlreiche Performances, in denen sie Aktmodelle mit Punkten überzog, was sie als »Selbst-Obliteration« bezeichnete. Dazu gehörte auch eine Performance 1967 am Black Gate Theater in New York.

1973 kehrte die Künstlerin nach Japan zurück, wo sie seitdem lebt. Durch ihre Arbeiten versucht Kusama, das psychologische Trauma zu verarbeiten, das sie durch zahlreiche Halluzinationen von endlosen Punkten, Blumen und Netzen seit ihrer Kindheit erlebt.

WICHTIGE EREIGNISSE

- 1969 – Kusama gründet ein Modelabel, Kusama Fashion Co. Ltd. Sie eröffnet eine Boutique an der Sixth Avenue in New York, wo sie Kleider und Textilien verkauft.
- 2004 – Die Künstlerin verwandelt das Mori Art Museum in Tokio mit *Dots Obsession-Installationen* bei ihrer Ausstellung »KUSAMATRIX«.

NIKI DE SAINT PHALLE
1930–2002

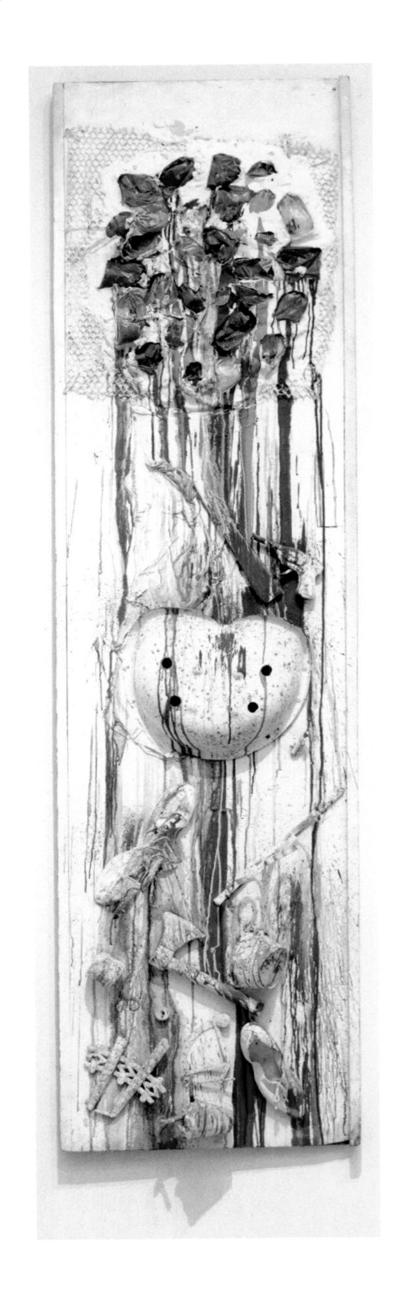

Als Kind konnte ich mich nicht mit meiner Mutter oder meiner Großmutter identifizieren. Sie schienen so unglücklich zu sein. Unsere Wohnung war beengt – ein kleiner Raum mit wenig Freiheit oder Privatsphäre. Ich wollte nicht so werden wie sie und nur den eigenen Herd bewachen; ich wollte, dass die Welt da draußen mir gehört. Schon sehr früh lernte ich, MÄNNER HATTEN MACHT, UND GENAU DAS WOLLTE ICH AUCH.

Niki de Saint Phalle
Shooting Painting at the American Embassy, 1961
Farbe, Gips, Holz, Plastikbeutel, Metallsitz, Axt, Metalldose, Spielzeugwaffe, Drahtgitter, Schrotkugeln und andere Objekte auf Holz,
244,8 x 65,7 x 21,9 cm
Museum of Modern Art (MoMA), New York

Wie Blut strömt die Farbe aus dem Gemälde.

So äußerte sich Niki de Saint Phalle, eine autodidaktische Künstlerin, die sich gegen die patriarchalischen Strukturen auflehnte. Sie wurde in einer französischen Adelsfamilie geboren und wuchs zwischen Frankreich und den USA auf, wo sie streng religiös erzogen wurde. Zwar lehnte sie die traditionellen weiblichen Rollenmodelle ab, dennoch heiratete sie bereits mit 18 Jahren und wurde bald darauf Mutter. 1953 erlitt sie einen Nervenzusammenbruch. Während ihres Krankenhausaufenthaltes begann sie zu malen.

Am 12. Februar 1961 choreografierte Saint Phalle ihr erstes Happening. Sie lud eine Gruppe von Freunden in den Hinterhof ihrer Pariser Werkstatt ein, wo sie eine Serie weißer Gipsreliefs aufgestellt hatte. Unter der weißen Oberfläche waren bunte Farbbeutel verborgen, die Saint Phalle und ihre Gäste mit einem Gewehr beschossen und zum Platzen brachten. Das war der Beginn der sogenannten *Schießbilder* oder *Tirs* (1961–1964). Durchaus ironisch gemeint, dennoch vom Wesen her gewalttätig, offenbarten Saint Phalles *Schießbilder* den destruktiven Impuls der Künstlerin und brachten ihr als einziger Frau eine Mitgliedschaft bei den Nouveau Réalistes ein. Mit ihrer Serie *Nanas* (1965–1974) erforschte Saint Phalle eine feminine Welt bestehend aus archetypischen weiblichen Figurinen. Diese dreidimensionalen Darstellungen bunter üppiger Frauen bestimmten den Ton für ein neues matriarchalisches Zeitalter.

WICHTIGE EREIGNISSE

- 1966 – Für die Ausstellung »Hon – en katedral« am Moderna Museet in Stockholm stellt Saint Phalle eine monumentale *Nana* her (in Zusammenarbeit mit Jean Tinguely und Per Olof Ultvedt). Diese wird in der Haupthalle des Museums aufgestellt und die Besucher werden eingeladen, in die Vagina der Figur einzutreten. Diese führt zu Einrichtungen wie einer Milchbar, einem Aquarium und einem Kino.
- 1978 – Saint Phalle beginnt die Arbeit an ihrem monumentalen *Giardino dei Tarocchi* (Tarotgarten) in der Toskana, Italien. Ihre Designs basieren auf Tarotkarten.

MAGDALENA ABAKANOWICZ
1930–2017

Magdalena Abakanowicz wurde in Falenty nahe Warschau, Polen, geboren. Als Kind bastelte sie Skulpturen aus Ton, Steinen und zerbrochenem Porzellan. Mit Beginn des Zweiten Weltkriegs verließ die Familie ihren Landsitz und zog nach Warschau, wohin die Künstlerin 1950 zurückkehrte, um sich an der Kunstakademie einzuschreiben. Zu jener Zeit galt der Sozialistische Realismus als offiziell anerkannter Stil, und alle Künstler, darunter auch Abakanowicz, wurden obligatorisch in diesem Stil ausgebildet. Trotz der Restriktionen durch den Sozialistischen Realismus entwickelte die Künstlerin eine unabhängige Handschrift, wobei sie sich auf das Weben konzentrierte.

1962 nahm sie an der ersten Biennale Internationale de la Tapisserie in Lausanne mit ihrer *Komposition weißer Formen* aus handgesponnenen und gewebten dicken Baumwollseilen teil. Den Höhepunkt ihrer Serie gewebter Installationen bildeten Ende der 1960er-Jahre die *Abakans* (ein selbsterfundener Begriff, abgeleitet aus ihrem Nachnamen). Sie waren an der Decke des Raumes befestigt und luden den Besucher ein, ihren Innenraum zu betreten. Bestehend aus verschiedensten Materialien vom Rosshaar bis hin zum Seil, veränderten die *Abakans* die Aktivität des Publikums von distanzierter Beobachtung zu taktiler Beteiligung. Trotz der strengen Regelstrukturen eines sozialistischen Landes und der beschränkten Reisefreiheit konnte Abakanowicz ihre Werke auch außerhalb Polens ausstellen. 1965 gewann sie zum Beispiel für ihre Textilarbeiten eine Goldmedaille bei der Biennale von São Paulo, Brasilien.

Magdalena Abakanowicz
Nierozpoznani (Unerkannt),
2001–2002,
aus der Serie *Agora*,
Gusseisen, jede Figur
ca. 210 x 70 x 95 cm
Zitadellenpark Posen

Diese große Skulptur ist für die Öffentlichkeit frei zugänglich auf einem Hügel außerhalb des Stadtzentrums von Posen installiert. In dieser Gegend befindet sich außerdem eine Preußische Festung, die im Zweiten Weltkrieg zerstört wurde. Abakanowicz beschrieb solche öffentlichen Projekte als »Raumerfahrungen«. Eine ihrer größten Installationen unter freiem Himmel, »Unerkannt«, widmet sich dem Zustand der Menschheit. Diese kopflosen Körper laufen durch den friedlichen Park und vermitteln ein Gefühl von Leiden und Unvollständigkeit.

Mitte der 1970er-Jahre ließ Abakanowicz von den *Abakans* ab und begann, mit neuen Materialien zu experimentieren, wie Bronze, Stein und Beton. In dieser Phase rückte der menschliche Körper in den Mittelpunkt ihrer Werke, wie bei *Nierozpoznani* (2001–2002; oben) zu sehen. Hier schreitet eine Gruppe aus 112 kopflosen Figuren furchtlos voran. Abakanowicz verstarb in Warschau.

WICHTIGE WERKE

- *Yellow Abakan*, 1967–1968, The Museum of Modern Art (MoMA), New York
- *Embryology*, 1978–1980, Tate, London
- *Standing Figure*, 1981, Denver Museum of Art, Denver
- *Mutant*, 2012, Industriemuseum Textilwerk Bocholt, Deutschland

WICHTIGE EREIGNISSE

- 1960 – Abakanowiczs erste Einzelausstellung in Warschau wird aufgrund der Unvereinbarkeit ihrer Werke mit dem Sozialistischen Realismus abgesagt.
- 1969 – Die Künstlerin arbeitet mit ihrem Freund, dem polnischen Regisseur Jaroslaw Brzozowski, am Film *Abakany*. Dafür gestaltet sie eine Installation von *Abakans* an den Sandstränden der polnischen Ostsee.
- 1974 – Das Royal College of Art in London verleiht Abakanowicz die Ehrendoktorwürde.

YOKO ONO
* 1933

Yoko Ono wird als Künstlerin mit der Entwicklung der Fluxus-Bewegung und dem Aufstieg der Konzeptkunst in Verbindung gebracht. Sie betätigte sich in den Bereichen Malerei, Bildhauerei, Großinstallation, Performance, Film und experimentelle Musik. Onos Kunst definiert sich durch starkes soziales und politisches Engagement. Mit ihrem inzwischen verstorbenen Gatten, John Lennon, setzte Ono eine Reihe öffentlichkeitswirksamer Projekte um. Vor allem ist das Bed-In bekannt, eine Aktion, bei der beide eine Woche lang in ihrer Hochzeitssuite blieben und gegen den Vietnamkrieg protestierten. Ono führt ihren Antikriegsprotest weiter, mit ihrer Kampagne WAR IS OVER! tritt sie für Frieden ein.

Bei der Performance *Cut Piece* (1964; rechts) lud Ono das Publikum ein, zu ihr auf die Bühne zu kommen und ihr die Kleidung vom Leib zu schneiden. Als ihre Kleider abfielen, wurde ihre Verletzlichkeit sichtbar. Dazu erklärte Ono: »Die Leute schnitten immer mehr Dinge ab, die ihnen an mir nicht gefielen, bis nur noch der Stein von mir blieb, sie waren jedoch noch immer nicht zufrieden und wollten wissen, wie es da drin aussieht.« Der Stein gilt als Metapher für Onos Kern, ihren Körper.

Indem sie ihre Kleidung, die eigentlich den Körper verbirgt und schützt, preisgibt, bittet Ono ihr Publikum, eine potenziell transgressive Rolle einzunehmen. Es bleibt nicht länger der passive Beobachter, sondern nimmt aktiv an der Kunst teil. Die Besucher werden auf die Bühne zum Künstler gebeten und sollen mit Ono performen. Dabei werden sie zum Akteur bei der Enthüllung. Eine Parallele zur historischen Tradition der öffentlichen Zurschaustellung weiblicher nackter Körper bietet sich an. Diese Einstellung ist bereits bei früheren Werken deutlich geworden, so bei Giorgiones *Schlafende Venus* (ca. 1510) und Édouard Manets *Olympia* (1863). Onos Performance muss als Kontrapunkt zu diesen historischen Abbildungen von Weiblichkeit verstanden werden. Zwar ist die Kunst für Ono feminin, dennoch beschäftigt sie sich nicht nur mit Gender: Ihr unermüdlicher sozialer und politischer Aktivismus bleibt der Kern ihres Schaffens. Yoko Ono lebt und arbeitet in New York.

Yoko Ono
Cut Piece, 1964
Performance, Yamaichi-Konzerthaus, Kyoto
Mit fr. Gen. Lelong & Co.

***Cut Piece* wurde zuerst 1964 im Yamaichi-Konzerthaus in Kyoto und später in Tokio, New York und London aufgeführt. Wie Ono anmerkte, variierten die Reaktionen des Publikums je nach Aufführungsort und -land.**

WICHTIGE EREIGNISSE

- 1955 – Ono verlässt das Sarah Lawrence College, Yonkers, New York, zieht nach New York City und trifft dort u. a. John Cage, George Brecht, George Maciunas und La Monte Young, die mit Fluxus und seinen Ursprüngen verbunden sind.
- 2002 – Ono stiftet einen Friedenspreis für Künstler in Konfliktgebieten.

SHEILA HICKS
*1934

Über sechs Jahrzehnte erforschte Sheila Hicks das künstlerische Potenzial von Fasern, die sie als Studentin an der Yale University entdeckt hatte. Dort nahm sie Unterricht bei führenden Modernisten, darunter dem Maler Josef Albers, dessen Sinn für Farbe sie stark beeinflusste. Ebenso half ihr der Architekt Louis Kahn, ein Verständnis für architektonische Formen und Raum zu entwickeln. Nach Abschluss ihres Bachelor-Studiums in Fine Arts in Yale bereiste sie mit einem Fulbright-Stipendium Südamerika. Dies sollte die erste von vielen Reisen werden. Sie lebte fünf Jahre in Mexiko und lernte dort die präkolumbianische Textilkunst kennen. Sie begegnete einheimischen Webern und studierte historische Wandteppiche und Webtechniken. Seitdem widmete Hicks ihr Schaffen dem Studium von Fasern und Stoffen. Sie erklärt:

> Mich beschäftigte immer mehr, was ein Wandteppich eigentlich ist und was nicht, welcher neu ist, wie er die Wand verlässt und den Raum erobert – dreidimensional. Und so wurde ich zum Pionier einer neuen Wandteppichbewegung.

Hicks' Werk, zu dem vor allem Wandteppiche und Skulpturen aus Textilfasern gehören, wurde Bestandteil bahnbrechender Textilkunst-Ausstellungen, wie »Wall Hangings« 1969 am Museum of Modern Art in New York. Hicks möchte jedoch nicht nur als Wandteppich-Künstlerin wahrgenommen werden, sie möchte interdisziplinäre Brücken bauen zwischen Malerei, Architektur, Design etc. Darum schuf Hicks öffentliche Werke, die auf Bauwerke reagieren, sowie viel intimere Skulpturen wie die *Minimes*, kleine Webarbeiten. *Escalade Beyond Chromatic Lands* (2017; links) wurde in den Pavillon der Farben bei der 57. Biennale di Venezia 2017 integriert. Hicks erklärte, der Ausgangspunkt für diese Installation war der Riss in der linken Wand der Ausstellungshalle. Sie wollte mit ihrer Kunst die vorhandenen architektonischen Strukturen des Arsenale, einem der etablierten Ausstellungsorte der Biennale in Venedig, aufgreifen und sich integrieren.

Sheila Hicks
Escalade Beyond Chromatic Lands, 2016–2017
Gemischte Materialien, natürliche und synthetische Fasern, Stoff, Schiefer, Bambus, Sunbrella-Stoffe, 600 x 1600 x 400 cm
Installationsansicht, Arsenale, 57. Biennale di Venezia, Venedig, 2017

Durch die überwältigende Anordnung von Stoffballen vor der Wand des Arsenale, einem der Ausstellungsräume der Biennale di Venezia, schafft Hicks ein mächtiges visuelles und taktiles Erlebnis. Die Intensität der bunten Ballen zieht den Betrachter förmlich in die beeindruckende Struktur hinein. Sie hinterfragt die zarte und intime Anmutung, die sonst häufig mit Wandteppichen assoziiert wird.

WICHTIGE EREIGNISSE

- 1969 – Air France beauftragt Hicks, eine Serie aus 19 Textilschirmen für den Business-Class-Bereich in der ersten Jumbo-Flotte herzustellen.
- 2018 – Das Centre Pompidou in Paris stellt *»Lignes de Vie«* (Lebenslinien) aus, eine große Retrospektive über 60 Jahre von Hicks' Schaffen.

EVA HESSE
1936–1970

Eva Hesse wurde in Hamburg als Tochter eines jüdischen Anwalts geboren. Sie und ihre Familie konnten der Verfolgung durch die Nazis entkommen, sie siedelten 1939 in die USA über und lebten in der deutschen jüdischen Gemeinde von Washington Heights. Zwischen 1952 und 1953 besuchte Hesse kurzzeitig das Pratt Institute of Design in New York, wo sie sich für einen Kurs in Werbedesign einschrieb. Ihre künstlerische Ausbildung setzte sie dann an der Art Students League fort, während sie ebenfalls beim *Seventeen*-Magazin arbeitete. Von 1954 bis 1957 studierte Hesse an der Cooper Union Art School, New York, wo sie einen Abschluss in Design erhielt. Dann studierte sie an der Yale School of Art and Architecture unter anderem bei Josef Albers. Nach dem Bachelor-Abschluss zog Hesse wieder nach New York, wo sie ihren späteren Mann, den Bildhauer Tom Doyle, kennenlernte. Die beiden heirateten 1961.

1963 wurde Hesses erste Einzelausstellung eröffnet – in der Allan Stone Gallery in New York. Ungefähr in dieser Zeit lernte sie die Kritikerin Lucy Lippard und die Künstlerkollegen Sol LeWitt, Robert Ryman, Robert Morris und Robert Smithson kennen. 1964 wurden Hesse und Doyle von dem Unternehmer Friedrich Amhard und seiner Gattin eingeladen, in Kettwig bei Essen zu arbeiten. Das Paar dehnte seinen Aufenthalt von geplanten sechs auf fünfzehn Monate aus.

In Kettwig begann Hesse, an gemalten Reliefskulpturen aus Abfällen der Textilfabrik zu arbeiten, in der sich ihr Atelier befand, Dazu gehörten Seile und Elektrokabel, die Hesse in ihren bunten, abstrakt strukturierten Reliefs umfunktionierte, wie bei *Legs of a Walking Ball* (1965; rechts). Hesse zeigte die Zeichnungen und Reliefs aus ihrer deutschen Periode in der Ausstellung »Eva Hesse: Materialbilder und Zeichnungen« 1965 in der Kunsthalle Düsseldorf.

1966 kehrten Hesse und Doyle nach New York, trennten sich aber kurz darauf. Im selben Jahr beendete Hesse eines ihrer wich-

Eva Hesse
Legs of a Walking Ball, 1965
Lasur, Tempera, Emaille, Bindfaden, Metall, Papierklebeband, unbekanntes Material, Spanplatte, Holz, 45,1 x 67 x 14 cm
Leeum, Samsung Museum of Art, Seoul

Reliefs wie dieses bezogen sich häufig auf Zeichnungen, zu denen Hesse durch die Maschinen inspiriert wurde, die sie in ihrem Umfeld in Kettwig vorgefunden hatte.

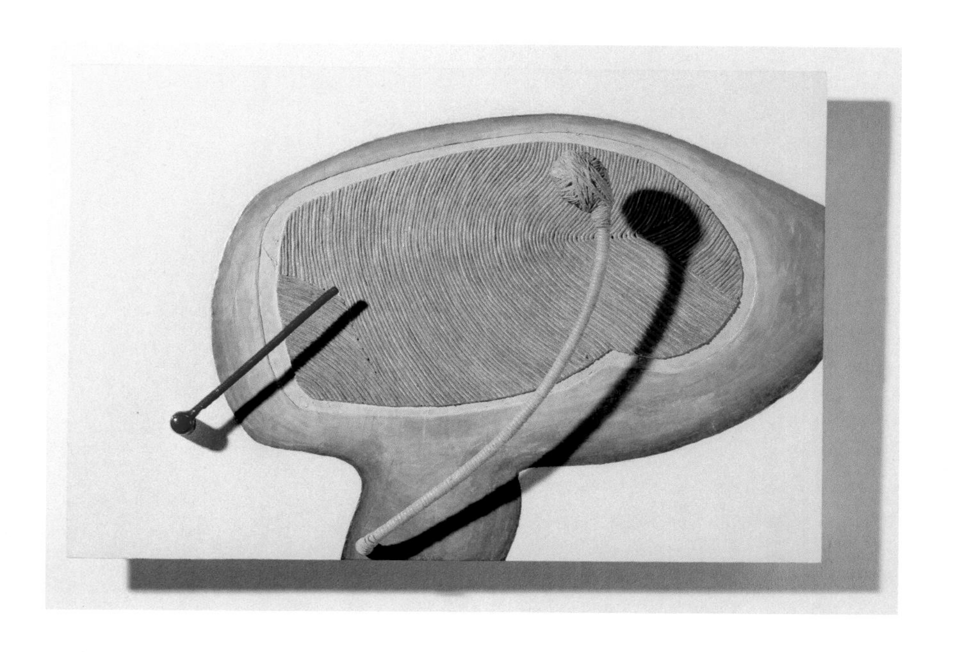

tigsten Werke, *Hang Up* (1966; rechts), das sie folgendermaßen beschreibt:

> Zum ersten Mal brach sich meine Vorstellung von der Absurdität extremer Gefühle Bahn ... der Rahmen besteht aus Seil und Faden ... Er ist extrem, darum mag ich ihn und auch wieder nicht. Dieses lange dünne Metall, das aus der Struktur kommt, ist so absurd ... das ist die verrückteste Struktur, die ich je hergestellt habe, darum ist sie richtig gut.

Hang Up besteht aus einem an die Wand montierten Rahmen, in dessen gegenüberliegende Ecken oben und unten ein Stahlkabel montiert ist. Das Kabel bricht aus dem leeren Rahmen hervor und wirft einen Schatten an die Wand. Mit dieser Arbeit beschritt Hesse den schmalen Grat zwischen der Zweidimensionalität der Malerei und der Dreidimensionalität der Bildhauerei. *Hang Up* drückt Hesses Interesse am Minimalismus und dessen Hang zu Serien, Wiederholungen und Rastern aus. Die Künstlerin setzte einige dieser Konzepte in ihrer Arbeit um. Hesses Werk zeichnet sich jedoch besonders durch den Einsatz ungewöhnlicher Materialien aus, darunter Latex, Papierklebeband, Fiberglas, Gummi, Textilien und Draht.

In den späten 1960er-Jahren wurden Hesses Arbeiten in einer Reihe von Ausstellungen gezeigt und sie wurde fortan von der Galerie Fischbach in New York vertreten. 1967 filmte Dorothy Beskind die Künstlerin bei ihrer Arbeit im Studio, und im Jahr darauf begann sie, an der School of Visual Arts in New York zu unterrichten. Robert Morris lud Hesse ein, ihre Werke bei der inzwischen legendären Ausstellung »9 at Castelli« (1968) zu präsentieren, die die sogenannte »Anti-Form« untersuchte. Hesse starb 1970 an einem Hirntumor. Ihr Interview mit der Kunstkritikerin Cindy Nemser wurde im selben Jahr im *Artforum* veröffentlicht.

Eva Hesse
Hang Up, 1966
Acryl, Stoff, Holz, Bindfaden, Stahl, 182,9 x 213,4 x 198,1 cm
The Art Institute of Chicago, Chicago

Dieses Werk wirkt eher wie ein Objekt, das in den Raum hineinragt, und nicht wie ein konventionelles Bild, das gerahmt an der Wand hängt.

WICHTIGE EREIGNISSE

- 1967 – Hesse nimmt an der Ausstellung »Working Drawings and Other Visible Things on Paper Not Necessarily Meant to Be Viewed as Art« teil, die von ihrem Künstlerkollegen Mel Bochner an der School of Visual Arts in New York organisiert wurde.
- 1969 – Hesses Werke werden in die einflussreiche Ausstellung des Kritikers und Kurators Harald Szeemann aufgenommen: »When Attitudes Become Form«, Kunsthalle Bern, Schweiz.

JOAN JONAS
* 1936

Für mich gab es keinen großen Unterschied zwischen einem Gedicht, einer Skulptur, einem Film oder einem Tanz. Eine Geste hat für mich ebenso viel Gewicht wie eine Zeichnung: zeichnen, löschen, zeichnen, Erinnerung an Gelöschtes löschen. Bei meinem Studium der Kunstgeschichte schaute ich genau hin, ... wie Illusionen in einem Rahmen erzeugt werden ... Als ich von der Bildhauerei zur Performance wechselte, ging ich in einen Raum und sah ihn mir an. Ich stellte mir vor, ... wie ein Publikum ... die Ungewissheiten und Illusionen des Raumes aufnehmen würde. Die Idee für ein Stück entstand, während mein Blick vor lauter Hinschauen verschwamm. Außerdem begann ich immer mit einem Requisit, einem Spiegel, einem Zapfen, einem Fernseher oder einer Geschichte.

Joan Jonas
Mirror Piece 1,
Performance am Bard College, 1969
Fotografie: Joan Jonas

Die fünfzehn weiblichen Protagonisten von *Mirror Piece 1* lenkten den Blick des Publikums zurück auf sich selbst. Dies sorgte für einen Bruch des traditionellen Beobachtungsmusters, bei dem nur das Kunstwerk vom Publikum betrachtet wird.

Joan Jonas zeigt uns, warum sie in ihren inzwischen legendären Performances mithilfe verschiedener Medien eine Reihe visueller und sinnlicher Erfahrungen vermittelt. Nach ihrem Studium, zuerst am Mount Holyoke College in Massachusetts und dann an der School of the Museum of Fine Arts in Boston, erhielt sie 1965 an der Columbia University, New York, einen Abschluss.

Der Spiegel ist ein wichtiges Symbol in Jonas' Werk, er taucht in ihren Performances häufig auf. Zum Beispiel versammelte Jonas in *Mirror Piece I* (1969; rechts), einer ihrer ersten Performances, fünfzehn Frauen mit mannshohen Spiegeln. Die Frauen bekamen einen

klaren Ablaufplan und bewegten sich innerhalb eines bestimmten Bereichs, sodass sich das Publikum in ihren Spiegeln sah. Zufällig gingen noch zwei Männer in Anzügen durch die choreografierte Frauengruppe. Jonas wollte mit dieser Arbeit in erster Linie den Raum durch den Einsatz von Spiegeln erweitern, während sie das Publikum und die Darsteller gleichermaßen zum Mitmachen einlud. Jonas verwendete den Spiegel noch öfter als Requisit, zum Beispiel in *Mirror Piece II* (1970) und in *Mirror Check* (1970).

In den 1970ern untersuchte die Künstlerin vor allem das Weibliche als Motiv und hinterfragte die Stereotypen, die Frauen anhaften; im Laufe dessen stellte Jonas eine Reihe weiblicher Charaktere dar, von der »guten Hexe« bis zur »bösen Hexe«. Sie verwies später auf den großen Einfluss der Frauenbewegung auf ihre Arbeit und das Hinterfragen der Geschlechterrollen.

WICHTIGE EREIGNISSE

- 1972 – Jonas nimmt an der »documenta 5« in Kassel teil.
- 1975 – Die Künstlerin wirkt an *Keep Busy* mit, einem Film des Fotografen Robert Frank.
- 2014–2015 – Jonas nimmt an der von einer privaten Kunstvereinigung gesponsorten Ausstellungsreihe »Safety Curtain« für die Wiener Staatsoper teil.
- 2015 – Jonas vertritt die USA bei der Biennale di Venezia.

JUDY CHICAGO
* 1939

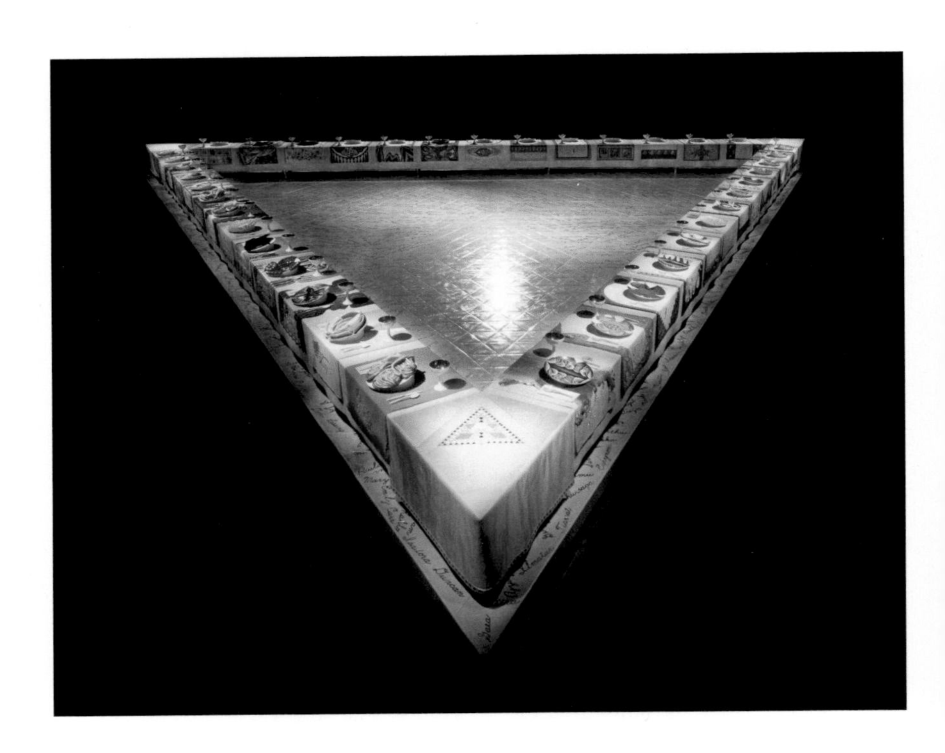

Judy Chicago
The Dinner Party,
1974–1979
Keramik, Porzellan und Textilien,
1463 x 1280,2 x 91,4 cm
Brooklyn Museum,
Brooklyn

Die dreieckige Tafel ruht auf dem von Chicago als »Heritage Floor« bezeichneten Arrangement aus 2.304 handgegossenen, vergoldeten und glasierten Porzellankacheln mit den Namen von 999 bedeutenden Frauen. Jedes Gedeck besteht aus vulva- und vaginaähnlichen Formen, die auf die Speiseteller gemalt sind. Diese verkörpern die Hauptaussage des Werks, nämlich die Ziele des Feminismus und seine wichtigsten Vertreterinnen in den Mittelpunkt zu rücken. Das Objekt befindet sich jetzt in der ständigen Ausstellung.

Judy Chicago ist eine der führenden Künstlerinnen in der feministischen Kunstbewegung Amerikas. Sie wurde als Judy Cohen geboren und wuchs in Chicago auf, in der Stadt, deren Namen sie später als Pseudonym verwendete. Der symbolische Übergang von ihrem Geburts- zum Künstlernamen wurde durch eine Performance vollzogen, in der Chicago, als Boxer ausgestattet, eine androzentrische Gesellschaft abwehrte und ihre Identität verteidigte – ein Gefühl von Verlust, das viele Frauen bei ihrer Heirat erleben. Die Aktion wurde vom Fotografen Jerry McMillian aufgezeichnet und im Journal *Artforum* im Dezember 1970 gezeigt.

Während ihres Studiums der Malerei und Bildhauerei an der University of California, Los Angeles, erlebte Chicago Anfeindungen männlicher Mitstudenten. Daraufhin flüchtete sie sich in minimalistische Malerei, bevor sie eine explizit feministische Protestsprache entwickelte. Mit der Künstlerin Miriam Schapiro gründete sie 1970 das erste Feminist Art Program in den USA an der California State University, Fresno.

1974 begann Chicago ihre Arbeit an der bahnbrechenden Installation *The Dinner Party* (links). Das Werk ist inzwischen als herausragendes Beispiel feministischer Kunst anerkannt, es besteht aus drei langen Tischen, die im Dreieck angeordnet sind, mit 39 Gedecken, von denen jedes eine bedeutende Frau würdigt. Dazu gehören die Schriftstellerinnen Mary Wollstonecraft, Emily Dickinson und Virginia Woolf, primitive Göttinnen, die Heerführerin Boudicca, die byzantinische Kaiserin Theodora und die Künstlerin Georgia O'Keeffe.

Als *The Dinner Party* 1979 zum ersten Mal am San Francisco Museum of Modern Art ausgestellt wurde, standen Tausende Frauen stundenlang Schlange, um die Ausstellung zu sehen. Dennoch lehnte sie die Kunstwelt weiterhin ab und andere Museen, in denen Ausstellungen geplant waren, sagten ab, sodass die Wanderausstellung aufgegeben wurde. Das Werk endete schließlich im Archiv, bis es das Brooklyn Museum in New York kaufte. Im Laufe der Jahre hat Chicago ihr künstlerisches Schaffen eng an ihre sozialen Aktivitäten gekoppelt. Sie lebt und arbeitet in Belen, New Mexico.

WICHTIGE EREIGNISSE

- 1966 – Chicago nimmt an der Ausstellung »Primary Structures« am Jewish Museum in New York teil. Diese Ausstellung mit Werken von 39 Männern und nur drei Frauen war wichtig, um die aufkeimende Minimalistenbewegung ins Bewusstsein der Öffentlichkeit zu rücken.
- 1975 – Chicagos Autobiografie wird veröffentlicht: *Durch die Blume: Meine Kämpfe als Künstlerin.*

CAROLEE SCHNEEMANN
* 1939

Carolee Schneemann wurde in Fox Chase, Pennsylvania, geboren. Nach ihrem Studium am Bard College in New York und der University of Illinois zog sie 1960 nach New York. Von Beginn an standen feministische Betrachtungen und die Genderproblematik im Zentrum ihrer Arbeiten. Obwohl Schneemann als Malerin ausgebildet war, wendete sie sich Film und Performance zu, um feministischen Ideologien eine Öffentlichkeit zu verschaffen.

Schneemann nutzte ihren eigenen Körper, um Erotik und politische Macht auszudrücken. 1964 wurde ihre respektlose Performance *Meat Joy* in der Judson Memorial Church in New York aufgeführt, bei der die Performer mit rohem Fleisch und nasser Farbe zu Popmusik Verwüstungen anrichteten. Im folgenden Jahr untersuchte Schneemann in ihrem Film *Fuses* (1965) die sexuelle Intimität und stellte visuelle Traditionen infrage. Bei der Aufführung im Rahmen des Filmfestivals in Cannes 1968 wurde *Fuses* von einer Gruppe männlicher Besucher sehr skeptisch aufgenommen, die aus Protest ihre Kinositze mit Rasierklingen zerschnitten. Daraufhin wurde der Film zensiert und von einigen Spielstätten ausgeschlossen. Bis heute sind *Fuses* und *Meat Joy* beispielhaft für Schneemanns Wunsch, die Probleme von Gender und Sexualität zu thematisieren.

1975 versucht Schneemann erneut, die Konventionen zu brechen, und zwar mit ihrer *Interior Scroll* (rechts). Diese Perfor-

Carolee Schneemann
Interior Scroll, 1975
Fotocollage mit Text: Rübensaft, Urin und Kaffeefotodruck, 182,9 x 121,9 cm

***Interior Scroll* wurde zweimal aufgeführt. Beide Male wurde das Lesen der Rolle von einem Ritual begleitet.**

mance wurde in East Hampton, New York, aufgeführt, dabei las die Künstlerin aus einer Rolle, die sie ständig aus ihrer Vagina hervorzog. Sie nutzte ihr Fortpflanzungsorgan als Quelle des Wissens und prangerte damit die männliche Voreingenommenheit an, unter der viele kreative Frauen leiden.

Seit den 1970er-Jahren thematisiert Schneemann nicht nur Genderungleichheit, sondern auch Krieg und Erinnerung. Neben ihren Performances lehrte Schneemann an vielen Kunsthochschulen, darunter dem California Institute of the Arts and Rutgers University, New Jersey. Schneemann lebt und arbeitet in Springtown, New York.

WICHTIGE EREIGNISSE

- 1962 – Schneemann wird für die drei Folgejahre beim Kollektiv des Judson Dance Theater engagiert, einer Plattform für Performance, Tanz und Theaterproduktion im Greenwich Village, New York.
- 1976 – Schneemann veröffentlicht das Buch *Cézanne, She Was a Great Painter*.
- 2017 – Die Künstlerin wird bei der Biennale di Venezia mit dem Goldenen Löwen für ihr Lebenswerk ausgezeichnet.

ZEITGENÖSSISCHE PERSPEKTIVEN

Künstlerinnen, die zwischen 1942 und 1985 geboren wurden

-

Ich bin Feministin, war Feministin und werde weiter Feministin sein und … ich schätze, dass selbst in Arbeiten, die sich nicht ausdrücklich mit Fragen der Genderpolitik befassen, der Standpunkt einer Feministin stets eine Rolle spielen wird.

-

Martha Rosler, 2014

ANNA MARIA MAIOLINO
* 1942

Anna Maria Maiolino wurde in Italien geboren. 1954 zog sie mit ihrer Familie nach Venezuela und 1960 nach Brasilien, wo sie sich an der Escola Nacional de Belas Artes in Rio de Janeiro einschrieb. Dort entwickelte sie ein Interesse am Holzschnitt und begann, an vielen Themen zu arbeiten, die in ihrer Kunstimmer wieder auftauchten. Die politische Situation in Lateinamerika wurde immer schwieriger und 1964 führte ein Militärputsch in Brasilien zu drastischer Unterdrückung demokratischer Einrichtungen durch eine Diktatur. Als Protest entwickelte die Künstlerin zusammen mit ihrem künftigen Ehemann Rubens Gerchman und ihren Kommilitonen Antônio Dias und Carlos Vergara den Stil Nova Figuração (Neue Gestaltung) und schuf politisch inspirierte Werke, die an die Pop Art erinnerten. Ihr Werk zeichnet sich dadurch aus, wie sie die spezielle politische Situation in Brasilien kommentiert und dabei gleichzeitig grundsätzlichere Themen, wie kulturelle und geografische Spannungen, anspricht.

Anna Maria Maiolino
ANNA, 1967
Holzschnitt,
47,6 x 66,4 cm
Hauser & Wirth

***ANNA* ist ein Selbstporträt, in dem der Name der Künstlerin statt ihres Bildes erscheint. Das Wort *ANNA*, das als Palindrom funktioniert, spricht gleichzeitig die Freuden der Geburt und den Kummer des Todes an. Die beiden Figuren über dem Grab könnten Maiolinos Eltern darstellen.**

1968 zog Maiolino mit ihrem Ehemann für drei Jahre nach New York. In dieser Zeit schuf sie eine Serie aus Federzeichnungen mit dem Titel *Entre Pausas (Zwischen Pausen)* und zwei Radierungen, *Escape Point* und *Escape Angel*. Mitte der 1970er-Jahre kehrte Maiolino wieder nach Rio de Janeiro zurück und widmete sich dem Film und der Performance. In *In-Out (Antropofagia)* (1973) liegt der Fokus auf den Mündern eines Mannes und einer Frau, die den ganzen Bildschirm einnehmen. Die Kamera wechselt zwischen den Mündern, die zuerst mit Klebeband zugeklebt sind und dann geöffnet werden, um zu verdeutlichen, wie die Zensur die Redefreiheit beschneidet. Die politische Situation ist in Maiolinos Werk zwar ein zentrales Anliegen, doch eine wichtige Rolle spielen auch der Körper und körperliche Bedürfnisse.

Seit den 1970ern hat sie unterschiedliche Medien erkundet, darunter das Zeichnen und die Umgestaltung von Papier, das sie genäht, geschnitten und zerrissen hat, um »Zeichenobjekte« zu schaffen. Ihr Œuvre umfasst Fotografie, Film, Installationen und gegossene Skulpturen. Seit 1989 experimentiert Maiolino mit dem Material und den physischen Eigenschaften von Ton, mit seinen »vielformigen Möglichkeiten«, wie sie selbst es nennt. Maiolino lebt und arbeitet in São Paulo, Brasilien.

Anna Maria Maiolino
Entrevidas (Zwischen Leben), aus der Serie *Fotopoemação (Photopoemaction)*, 1981
Silbergelatineabzug, je 144 x 92 cm
Hauser & Wirth

***Entrevidas* sinniert über die Erfahrungen von Spannung und Angst, die man in Diktaturen erleidet. In Form von Analogien, bei denen die Eier die Unterdrückten und die Füße die Diktatoren sind, betont *Entrevidas*, wie verletzlich die Eier sind, wenn die Füße durch sie hindurchlaufen.**

WICHTIGES EREIGNIS

- 1967 – Maiolino nimmt an der bahnbrechenden Ausstellung »Nova Objetividade Brasileira« (Neue brasilianische Objektivität) am Museu de Arte Moderna in Rio de Janeiro teil.

GRACIELA ITURBIDE
*1943

Graciela Iturbide
Nuestra Señora de las Iguanas, Juchitán, México, 1979
Silbergelatineabzug, 53,3 x 43,2 cm
ROSEGALLERY, Santa Monica

Dieses Foto, das eine Frau mit einer Krone aus lebenden Leguanen zeigt, ist inzwischen legendär. Als Iturbide zu einer Preisverleihung nach Japan eingeladen war, wurde auf der Einladung anstelle ihres Porträts dieses Foto wiedergegeben. Bei ihrer Ankunft war der Museumsdirektor angenehm überrascht, dass Iturbide ohne Leguan gekommen war.

Graciela Iturbide zählt zu den führenden Fotografen Mexikos. Geboren in Mexiko-Stadt, wandte sie sich 1969 der Fotografie zu, um den Verlust ihrer sechs Jahre alten Tochter zu überwinden. Sie schrieb sich an der Centro Universitario de Estudios Cinematográficos in Mexiko-Stadt ein, wo sie Filmregie und Fotografie studierte. Gleichzeitig arbeitete sie als Assistentin für Manuel Álvarez Bravo, einen der bekanntesten Fotografen Mexikos; diese Erfahrung brachte sie dazu, Dinge anders zu sehen. Ihre Fähigkeit, die Spontaneität des Augenblicks mit der Kamera festzuhalten, schreibt sie ihrer kurzen Lehrzeit bei dem großen französischen Fotografen Henri Cartier-Bresson zu.

Iturbide arbeitet hauptsächlich mit Schwarzweißfotos, da dieses Medium das Gefühl von Distanziertheit vermittelt, das sie mit ihren Porträts zu erreichen sucht, die Strenge mit Schönheit kombinieren. Thematisch widmet sie sich vor allem der Dokumentation der einheimischen Bevölkerung Mexikos. 1978 wurde Iturbide vom Instituto Nacional Indigenista beauftragt, das Volk der Seri zu fotografieren, um in der Sonora-Wüste im nördlichen Mexiko die schwindende Welt der indigenen Bevölkerung festzuhalten.

1979 lud der in Oaxaca lebende Maler Francisco Toledo Iturbide in seine Geburtsstadt Juchitán ein. Durch Toledo lernte sie das Volk der Zapoteken kennen. Bei den Zapoteken, die bekannt sind für ihre matriarchalen Strukturen, übernehmen Frauen die Organisation des öffentlichen Lebens, des Haushalts sowie der Finanzen und der Politik, während die Männer auf den Feldern arbeiten. Etwa zehn Jahre lang lebte Iturbide in Juchitán und schuf dort einige ihrer bedeutendsten Fotografien, darunter *Nuestra Señora de las Iguana* (*Unsere liebe Frau der Leguane*; 1979; gegenüber). Eine Erklärung für ihren Erfolg ist ihre Fähigkeit, die machtvolle Welt der Ureinwohner mit ihren Mythen und Legenden einzufangen. Außerdem, so erklärte Iturbide, wird ein mythisches Bild dieser Art zu einem Ort der Projektion und erlaubt es den Betrachtern, das Bild ganz verschieden zu interpretieren. Aufschlussreich ist, wie sie die Entstehung dieses Bildes beschreibt:

> Hätte sich jemand den Kontaktabzug angeschaut, den ich für *Die Leguan-Frauen* hatte (und es könnte interessant sein, den irgendwann zu veröffentlichen), dann hätte er gesehen, wie die Frau lacht, dass die Leguane ihre Köpfe hängen lassen. Ein Wunder, als ich ein Bild machen konnte, auf dem sie alle ganz still sind. Ich hätte nie gedacht, dass dieses Foto die Zapoteken selbst interessieren könnte.

WICHTIGE EREIGNISSE

- 2005 – Iturbide darf Frida Kahlos Badezimmer fotografieren, das seit dem Tod der Künstlerin unverändert geblieben ist. Sie nutzte Farbfilm, um ihre Gefühle zu vermitteln.

Graciela Iturbide
Mujer Ángel, desierto de Sonora, Méxiko, 1979
Silbergelatineabzug, 40,3 x 56,8 cm
ROSEGALLERY, Santa Monica

Dieses Foto, dessen Titel übersetzt *Engel-Frau, Sonora-Wüste* lautet, fängt die Spannung zwischen Moderne und Tradition ein, die sich beispielhaft durch die indigene Frau ausdrückt, die ein traditionelles Gewand trägt und mit einem Tonbandgerät in der Hand durch die Wüste läuft. Das Bild erschien in dem Buch *Los que viven en la arena* (*Die im Sand leben*), veröffentlicht 1981.

- 2013 – Das Museo Amparo in Puebla veranstaltet eine Ausstellung von Iturbides *Reisetagebüchern* von ihren Reisen nach Indien, Italien und in die USA.

MARTHA ROSLER

* 1943

Martha Rosler hat mit vielen Medien gearbeitet, wie Installation, Fotografie, Bildhauerei, Video und Text. Kunst und Aktivismus gehen bei ihr Hand in Hand, und durch kritische Schriften sowie theoretische Untersuchungen bringt sie sich in den feministischen Diskurs und andere gesellschaftliche Fragen ein. Dementsprechend beschränken sich die Ergebnisse ihrer Arbeit nicht nur auf die Kunstwelt, sondern sind auch in anderen Bereichen zu finden, beispielsweise in Zeitungen, Mailings und Garagenverkäufen. Rosler setzte sich mit Themen wie Krieg, Medien und menschengemachte Umwelt auseinander, dabei berücksichtigt sie stets die Genderfrage, sowohl in gesellschaftlicher als auch in politischer Hinsicht. So lud sie etwa in *If You Lived Here ...* (1989) Künstler, Aktivisten, Architekten, Obdachlose und andere ein, die zunehmende Obdachlosigkeit und deren Beziehung zu Fragen der städtischen Wohnsituation und der sozialen Unterstützung zu untersuchen.

Rosler erwarb 1965 am Brooklyn College den Bachelor in Literatur und 1974 an der University of California in San Diego den Master of Fine Arts. Ende der 1960er- und Anfang der 1970er-Jahre befasste sie sich in ihrer Kultserie *Body Beautiful, or Beauty Knows No Pain* mit Fotomontage. Sie wandte sich genau wie vor ihr schon Hannah Höch der Fotomontage zu, um mehr Aufmerksamkeit auf aktuelle politische und feministische Fragen zu lenken.

Feminismus ist weiterhin ein zentrales Thema für Rosler. Ihr Video *Semiotics of the Kitchen* (1975; gegenüber) zeigt die Künstlerin in eine Schürze gekleidet, wie sie dem Publikum Küchenwerkzeuge präsentiert – ein Tranchiermesser, eine Burgerpresse, einen Fleischklopfer usw. Während die Kamera sich zunehmend auf ihre Gesten konzentriert, parodiert *Semiotics of the Kitchen* beliebte Kochshows wie Julia Childs *The French Chef*. Rosler zählt mit unbewegtem Gesicht alphabetisch Küchenutensilien auf und vermittelt auf diese Weise ihren Ärger und Frust über die Beschränkungen auf das Häusliche, denen Frauen immer noch unterworfen sind. Rosler lebt und arbeitet in ihrem Geburtsort Brooklyn, New York.

Martha Rosler
Semiotics of the Kitchen, 1975
Video (schwarzweiß, Ton), Dauer: 6:09 min
Electronic Arts Intermix (EAI), New York

Beweis für die andauernde Faszination von *Semiotics of the Kitchen* sind die vielen Cover-Versionen des Videos, darunter einer mit Barbie. Lebensmittel waren in dem Video nicht zu sehen, das die Semiotik der Küche mithilfe der Folterinstrumente visualisiert, die man mit den lästigen täglichen Routinearbeiten assoziiert. Der Erfolg dieses einflussreichen Videos lässt sich auf Roslers Sinn für Ironie zurückführen, gekoppelt mit ihrer offenen Kritik an den starren Rollen der Geschlechter.

WICHTIGE EREIGNISSE

- 2012 – Rosler organisiert den »Meta-Monumental Garage Sale« am Museum of Modern Art (MoMA) in New York. Wie bei einem typischen amerikanischen Garagenverkauf werden Besucher eingeladen, Gebrauchtwaren zu erwerben.
- 2013 – *Culture Class*, Roslers Essaysammlung, die den Einfluss der Gentrifizierung und die Rolle der Künstler betrachtet, wird von e-flux und Sternberg Press, New York, veröffentlicht.

MARINA ABRAMOVIĆ
* 1946

Marina Abramović ist vor allem für ihre Performances bekannt. Deren Thema ist häufig die menschliche Verletzlichkeit und sie stellen oft eine große Herausforderung für die Künstlerin dar. Von 1965 bis 1970 studierte Abramović an der Akademie der Bildenden Künste in Belgrad und von 1970 bis 1972 absolvierte sie ein postgraduales Studium in Zagreb. Sie startete ihre Karriere zwar als Malerin, wandte sich aber schon bald der Performance und Body Art zu.

In ihren frühen Arbeiten spielte der Körper der Künstlerin eine zentrale Rolle. So schaltete sie zum Beispiel in *Rhythm 10* (1973) ein Tonbandgerät ein und stach dann immer wieder schnell mit einem Messer zwischen ihre gespreizten Finger. Durch diese Aktion verletzte sich die Künstlerin, forderte aber gleichzeitig die Beteiligung des Publikums, speziell seine emotionale Reaktion. Das Ziel der Publikumsbeteiligung an Abramović' Performances wurde besonders klar bei *Rhythm 0*, aufgeführt 1974 in Neapel. Hier stellte sie sich den Besuchern der Galerie zur Verfügung, denen 72 Objekte angeboten wurden, mit denen sie die Künstlerin stimulieren, körperlich verletzen oder demütigen konnten. Bis heute ist die Beteiligung des Publikums integraler Bestandteil ihres Vorgehens.

1975 lernte Abramović den deutschen Künstler Ulay (F. Uwe Laysiepen) kennen und ging für die folgenden 13 Jahren eine künstlerische und persönliche Beziehung mit ihm ein. Das Paar inszenierte gemeinsam eine Reihe von Performances – sogar seinen Abschied. In *The Lovers: Walk on the Great Wall* lief Abramović vom Gelben Meer aus auf der Chinesischen Mauer, während Ulay ihr von der Wüste Gobi aus entgegenkam. Das Paar traf sich in der Mitte und verabschiedete sich voneinander. Diese theatralische Trennung zeigt, wie weit Abramović ihre Person in das Zentrum ihres Werkes stellt.

Marina Abramović
The Artist is Present, 2010
Drei Monate andauernde Performance, fotografiert von Marco Anelli
Museum of Modern Art (MoMA), New York

Abramović saß fast drei Monate lang acht Stunden täglich still an einem Tisch. Nacheinander wurden Personen aus dem Publikum eingeladen, sich auf den leeren Stuhl ihr gegenüber zu setzen und Abramović in die Augen zu schauen. Mehr als 1.000 Menschen – von denen viele stundenlang angestanden hatten – nahmen an diesem scheinbar einfachen, aber emotional herausfordernden Experiment teil. Die Intensität dieser Performance rührte viele von ihnen zu Tränen.

WICHTIGE EREIGNISSE

- 1997 – Abramović erhält den Goldenen Löwen für die Beste Künstlerin auf der Biennale in Venedig.
- 2005 – Abramović inszeniert *Seven Easy Pieces* am Guggenheim Museum in New York. An sieben aufeinanderfolgenden Abenden führt sie ihre eigenen *Lips of Thomas* wieder auf (Erstaufführung 1975) sowie Performances u. a. von Joseph Beuys und Vito Acconci aus den 1960ern und 1970ern.
- 2008 – Abramović bekommt das Österreichische Ehrenzeichen für Wissenschaft und Kunst.
- 2012 – Das Marina Abramovic Institute for the Preservation of Performance Art (MAI) in Hudson, NY, soll neue Möglichkeiten der Zusammenarbeit zwischen Denkern aus allen Bereichen von Wissenschaft und Kunst schaffen.

ANA MENDIETA
1948–1985

Ana Mendieta wurde 1948 in Havanna geboren. 1959 wurde Fidel Castro kubanischer Staatschef und richtete 1961 eine marxistisch-leninistische Regierung ein, die zum diplomatischen Bruch mit den USA führte. Mendietas Vater, der die Revolution zunächst unterstützte, schloss sich später der geheimen Anti-Castro-Bewegung an. Da er sich der Risiken bewusst war, ließ er seine Kinder über die Operation Peter Pan aus Kuba herausbringen. 1961 wurden Mendieta und ihre ältere Schwester Raquelín in die USA geschickt, wo sie die folgenden Jahre in verschiedenen religiösen Einrichtungen und Pflegefamilien verbrachten.

Von 1967 bis 1972 besuchte Mendieta die University of Iowa, wo sie provokante Performances wie *Chicken Movie, Chicken Piece* (1972) aufführte und ihre frühesten Fotoserien mit ihrem Gesicht und ihrem Körper anfertigte. 1971 reiste sie zum ersten Mal nach Mexiko und schuf dort 1973 die ersten Fotos ihrer *Siluetas*- (Silhouetten) Serie – Bilder, die Mendietas Körper oder ihre Silhouette in der Landschaft zeigen. Damit erkundete sie Ideen rund um Identität, Geschlecht und Spiritualität. Nach 1975 durchlief die Arbeit der Künstlerin einen grundlegenden Wandel – von nun an nutzte Mendieta ihren Körper fast nie mehr direkt in ihren Werken.

Ein wichtiges Merkmal von Mendietas Werk ist die Identifikation der weiblichen Figur mit der Natur. Sie erklärte:

> So wie ich es sah, verschlang die Natur den Körper, wie sie auch schon die Symbole vergangener Zivilisationen übernommen hat ... So empfinde ich es, wenn ich der Natur gegenüberstehe, sie ist einfach die überwältigendste Sache, die es gibt.

Mendietas Erfahrungen mit der Macht der Natur drückte sich in Werken wie *Tree of Life* (1976; gegenüber) aus, in denen die Künstlerin und der Baumstamm eins werden. 1978 trat sie der A. I. R. Gallery bei, der ersten Galerie in den USA, die sich ausschließlich Künstlerinnen widmete. Mendieta starb auf tragische Weise, als sie aus dem Fenster der New Yorker Wohnung fiel, die sie sich mit dem minimalistischen Künstler Carl Andre teilte.

Ana Mendieta
Tree of Life, 1976
Farbfotografie,
50,8 x 33,7 cm
Mit frdl. Genehmigung
Galerie Lelong & Co.,
New York

Die schlammüberzogene Silhouette der Künstlerin ist an den Baum gepresst – ein Symbol für Leben und Regeneration.

WICHTIGES EREIGNIS

- 1983 – Mendieta wird der Rompreis der American Academy in Rom verliehen. Sie verbringt das folgende Jahr dort und fertigt Zeichnungen und Skulpturen an.

CINDY SHERMAN
* 1954

Cindy Sherman hat oft ihren eigenen Körper genutzt, um gesellschaftliche Stereotype zu hinterfragen. Durch die Übernahme unterschiedlicher Verkleidungen und Identitäten schaffte es Sherman, sich selbst und ihre Kunst ständig zu verwandeln. Sie machte 1972 zwar einen Abschluss in Malerei am Buffalo State College, wandte sich 1974 aber der Fotografie zu, die seither das Medium ihrer Wahl ist. Bereits in ihrer Kindheit begeisterte sie sich für Kostüme und Schminke, sodass sie diese frühe Leidenschaft in den Mittelpunkt ihrer Arbeit stellte. Sherman hatte begonnen, fiktive Charaktere zu schaffen, indem sie ihr Äußeres manipulierte. In ihrer frühen Fotoserie *Bus Riders* (1976) verkörpert sie eine Reihe urbaner Figuren vor einer weißen Wand.

1977 zog sie nach New York, wo sie in Teilzeit als Empfangsdame bei Artists Space arbeitete. In diesem Jahr begann sie außerdem mit ihrer Serie *Untitled Film Stills* (1977–1980). Dieses Werk, das aus 69 Schwarzweißfotos besteht, bildet einen Meilenstein in der Kunstgeschichte. Darin verkörpert Sherman eine Reihe von weiblichen Stereotypen, die Figuren aus Film Noir oder B-Movies gleichen. In *Untitled Film Still #21* (1978; gegenüber), wo sie in einer Szene im Freien aufgenommen wurde, soll das Bild an billige Filmproduktionen erinnern. *Film Still #21* lässt die Linie zwischen Porträtaufnahmen und stereotypen weiblichen Rollen, inspiriert durch Hollywood-Filme aus der Mitte des Jahrhunderts, verschwimmen. Sherman sagt über ihre Arbeit:

> Das war die Art, wie ich fotografiert habe, die Nachahmung des Stils der Schwarzweiß-Trashfilme, die die Gehemmtheit dieser Figuren erzeugt hat, nicht meine Kenntnis der feministischen Theorie ... ich habe nicht mit einem höheren Bewusstheit gearbeitet, aber ich habe auf jeden Fall gespürt, dass die Charaktere etwas hinterfragt haben – vielleicht dass sie in eine bestimmte

Cindy Sherman
Untitled Film Still #21,
1978
Silbergelatineabzug,
20,3 x 25,4 cm
Museum of Modern Art
(MoMA), New York

***Untitled Film Still #21* ist eines von 69 Fotos aus der namengebenden Serie. Sherman lädt uns hier ein, über Weiblichkeit und deren Darstellung in der Populärkultur, speziell im Film, nachzudenken. Die Heldin ist voller Erwartungen: Sie trägt einen perfekt geschnittenen Anzug und ihr Make-up ist tadellos. Als Schilderung von Jugend und Erfolg deutet *Film Still #21* an, wie generische Typen – wie der hier abgebildete – die visuelle Landschaft des Nachkriegsamerika geformt haben.**

Cindy Sherman
Untitled #228, 1990
Chromogener Farbabzug,
221,6 x 135,6 cm
Museum of Modern Art
(MoMA), New York

***Untitled #228* gehört zu der Serie *History Portraits* (1988–1990).**
In diesen Arbeiten stellt Sherman sich selbst als Figur aus den Gemälden der Alten Meister dar, vom Barock bis zum Klassizismus.
In *Untitled #228* spielt sie die Rolle der biblischen Heldin Judith, die in einer Hand den maskenartigen Kopf des Holofernes hält.

Rolle gezwungen wurden. Gleichzeitig sind diese Rollen in einem Film: Die Frauen sind nicht realistisch, sie tun nur so. Es gibt so viele Ebenen von Künstlichkeit.

Aus Shermans Worten kann man schließen, dass es in ihrem Werk um Künstlichkeit geht sowie um das Verschwimmen von Realität und Fiktion und nicht um eine klare feministische Haltung. Dennoch hat ihr Vorgehen eine wichtige Rolle dabei gespielt, einen visuellen Diskurs rund um die Weiblichkeit zu formen. Seit *Untitled Film Stills* ist der Großteil von Shermans Werk in thematischen Serien organisiert, darunter *Centerfolds* (1982), *Fairy Tales* (1985), *Sex Pictures* (1992), *Hollywood/Hampton Types* (2000–2002), *Clowns* (2003–2004) und *Society Ladies* (2008).

WICHTIGE EREIGNISSE

- Mitte der 1970er – Sherman ist Teil von Hallwalls, einem alternativen Lebens- und Arbeitsbereich, den die Künstler Robert Longo und Charles Clough in Buffalo, New York, gegründet haben.
- 1997 – Die Künstlerin dreht *Office Killer*, ihren ersten Spielfilm.
- 2012 – Eine Retrospektive von Shermans Werk am Museum of Modern Art (MoMA) in New York umfasst mehr als 170 Werke von den 1970ern bis zur Gegenwart.
- 2019 – Die National Portrait Gallery in London zeigt eine Ausstellung mit 180 Selbstbildnissen von Sherman.

FRANCESCA WOODMAN
1958–1981

»Ich habe viele Ideen [– ich] muss nur damit loslegen, bevor sie schal werden«, sagte die Fotografin Francesca Woodman. Sie wurde in eine Künstlerfamilie hineingeboren und wuchs in den USA und Italien auf. 1972 machte sie mit einem Selbstauslöser ihre erste noch vorhandene Fotografie, ein Selbstporträt mit dem Titel *Self-Portrait at Thirteen*. Zwischen 1975 und 1978 studierte sie an der Rhode Island School of Design (RISD) in Providence, wo sie ausgiebig mit der Fotografie experimentierte. Das Bild gegenüber aus der Serie *Polka Dots*, *Providence, Rhode Island* (1976) entstand in ihrer Zeit am RISD. Wie die meisten ihrer Fotos aus dieser Periode ist die Stimmung insgesamt eher melancholisch. Die Künstlerin kauert in einem anscheinend verlassenen Haus und starrt besorgt und mit einem Gefühl ängstlicher Erwartung in die Kamera. Ihr fröhlich gepunktetes Kleid steht in einem starken Gegensatz zu dem verfallenen Raum und verleiht dem Bild damit eine Spannung zwischen der Figur der Künstlerin und der baulichen Szene.

Woodmans Körper stand im Zentrum ihres künstlerischen Wirkens. Durch ihre Selbstbezogenheit stellte sie stereotype Bilder der Weiblichkeit infrage und kritisierte damit auch die Behandlung von Frauen als Objekte statt als Subjekte. Woodmans Kompositionen sind jedoch mit einem Gefühl von Kurzlebigkeit und Unsicherheit durchtränkt, das hart auf der Grenze zwischen konkreter Darstellung der Realität und einer eingebildeten *Mise en Scène* balanciert. Zur Verbesserung ihrer Szenen, aber auch als eine Art von Bruch führt Woodman eine Reihe von Requisiten ein, in ihren Fotos ein, die die Betonung des Körpers hinterfragen und von ihm ablenken.

Francesca Woodman
Aus *Polka Dots, Providence, Rhode Island*, 1976
Silbergelatineabzug, 13 x 13 cm
Mit frdl. Genehmigung Galerie Charles Woodman und Victoria Miro, London

Woodman lenkt die Aufmerksamkeit auf das mehrdeutige Wesen der Selbstporträtierung als Genre. Dieses Foto enthüllt genauso viel über das wahre Wesen der abgebildeten Figur, wie es versteckt.

Zwischen 1977 und 1978 verbrachte die Künstlerin ein Jahr in Rom, wo sie eine Ausstellung im surrealistischen Buchladen Libreria Maldoror hatte. Während dieses Aufenthalts entstand *Untitled* (1977–1978; gegenüber). In diesem überbelichteten Foto ist nur Woodmans Rücken sichtbar und der Körper wirkt in seinem fragmentierten Zustand fast schon abstrakt. Mit dieser irritierenden Fragmentierung widerspricht Woodman ausdrücklich der Ganzheit des klassischen Akts. Ihr Körper lehnt den männlichen Blick ab, der Darstellungen von Weiblichkeit lange dominiert hat, und stört ihn durch diese Zerstückelung. Nachdem Woodman im Jahre 1979 nach New York zurückgekehrt war, experimentierte sie mit der Farbfotografie. Am 19. Januar 1981 beging Woodman Selbstmord – nur wenige Wochen nach der Veröffentlichung ihres Buches *Some Disordered Interior Geometries*.

WICHTIGE EREIGNISSE

- 1968 – Die Familie Woodman verbringt den Sommer in Fiesole in der Toskana und kauft ein Haus nahe Florenz in Antella.
- 1976 – Die Künstlerin hat ihre erste Einzelausstellung in der Addison Gallery of American Art, Andover.

Francesca Woodman
Untitled, Rom, Italien,
1977–1978
Silbergelatineabzug,
19,7 x 19,5 cm
Mit frdl. Genehmigung
Galerie Charles
Woodman und Victoria
Miro, London

Das Werk der Künstlerin wird wegen der unheimlichen Stimmung, die viele ihrer Fotos durchdringt, oft mit dem Surrealismus in Verbindung gebracht.

OLGA TSCHERNISCHEWA
* 1962

Olga Tschernischewa
Ohne Titel [Good Morning], 2014
Kohle auf Papier, Collage, 84 x 60 cm
Privatsammlung, London

In ihren Zeichnungen inspiziert Tschernischewa die soziologische Landschaft, indem sie sich auf einzelne Typen konzentriert. Der Fokus dieses eigentümlichen Werkes liegt auf einer ziemlich rätselhaften Figur, die in ein Bärenkostüm gekleidet ist. Der Bär, möglicherweise als Werbefigur unterwegs, entzieht sich einer endgültigen Interpretation, und genau das ist der Sinn. Das Nebeneinander von Bild und Textschnipsel verkompliziert die Sache noch weiter.

> Der russische Realismus ist die erste Schicht unseres mentalen Make-ups ... Uns war der russische Realismus bewusst, bevor wir begannen, die Kunst als etwas zu sehen, das nicht mit dem Leben verbunden ist. Es war, als hätten diese Gemälde sich selbst geschaffen; der Name der Schöpfer war nicht so wichtig. Ihre universelle Rolle im Leben beschränkte sich nicht auf die Kunst, sondern deckte alle menschlichen Grundpfeiler des Lebens ab.

Hier sinniert die Moskauer Künstlerin Olga Tschernischewa, wie die sozialistisch-realistische Malerei Sowjetrussland dominierte, als die angewandten wichtiger als die schönen Künste waren, die als elitär galten. Bücher, Illustrationen und Animationen konnten in Umlauf gebracht werden und eine größere Wirkung entfalten (auch als Propaganda).

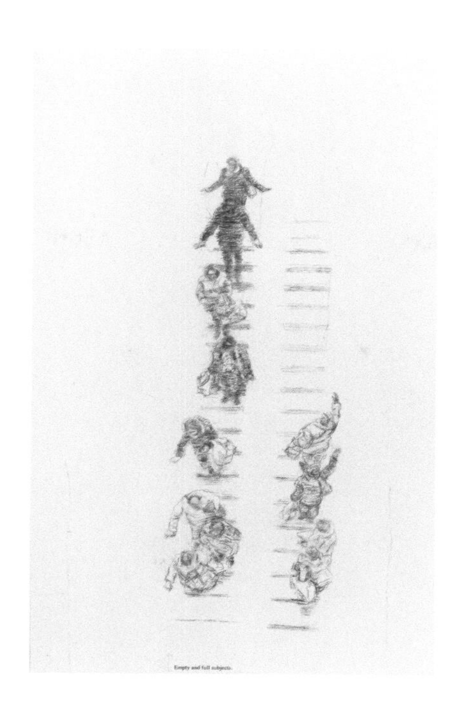

Olga Tschernischewa
Ohne Titel [Leer...], 2016
Kohle auf Papier, Collage,
84 x 52 cm
Privatsammlung,
Los Angeles

Tschernischewa hält durch ihre poetische Linse ganz normale Szenen fest. Hier geht es um das Erlebnis von hinauf- und hinabfahrenden Rolltreppen in der U-Bahn. Als sozialer Ort bringt die Metro-Station ganz unterschiedliche gesellschaftliche Typen zusammen, die jeder auf eigene Weise handeln. Durch die Konzentration auf eine solch banale Szene zieht die Künstlerin unsere Aufmerksamkeit auf die Details, die man sonst vielleicht übersieht.

Der Anfang von Tschernischewas Karriere fiel mit dem Zusammenbruch der Sowjetunion zusammen. Sie machte 1986 ihren Abschluss am Moskauer Gerassimow-Institut für Kinematografie (WGIK), wo sie Kunst, Filmgeschichte und -produktion studierte. Heute umfasst ihr Werk auch Zeichnungen, Gemälde, Fotografien und Videos.

Sie denkt schon lange über das Erbe und den Einfluss der sowjetischen Kunst nach. Vor allem fasziniert sie der Realismus und die Darstellung der sozialistischen Typen. Ob Straßenhändler oder uniformierte Posten in der Moskauer Metro – Tschernischewa ist eine feinfühlige Chronistin des Alltäglichen und hält Kleinigkeiten fest, die oft unbemerkt bleiben.

WICHTIGE EREIGNISSE

- 1995–1996 – Tschernischewa hält sich an der Rijksakademie van Beeldende Kunsten in Amsterdam auf.
- 2015 – Die Künstlerin wird vom Drawing Center in New York eingeladen, einen Monat in der Stadt zu verbringen, wo sie das Leben in der Metropole und ihre Bewohner aufzeichnet. Die entstehenden Zeichnungen werden 2016 in »Vague Accent« ausgestellt, einer Einzelausstellung von Tschernischewas Arbeiten am Drawing Center.

RACHEL WHITEREAD

* 1963

Rachel Whiteread zählt zu den bedeutendsten britischen Künstlern. Man kennt sie vor allem als Bildhauerin, doch sie arbeitet auch mit Zeichnungen, Fotografie und Video. Von 1985 bis 1987 studierte sie Bildhauerei an der Slade School of Fine Art und war bei den Young British Artists (YBAs), die die Royal Academy 1997 im Rahmen ihrer Ausstellung „Sensation" würdigte, bei der jüngere Künstler, darunter auch Whiteread, vorgestellt wurden.

Whitereads Arbeiten beschäftigen sich mit dem Raum, der Beziehung zwischen inneren und äußeren Formen und dem Leben alltäglicher Objekte, wie Badewannen und Schränke. Die Verbindung zwischen den Formen entsteht durch Abdrücke, die sich bilden, wenn flüssiger Stoff in eine Form gegossen wird und dann aushärtet. In ihren Skulpturen, die ganz klein, aber auch riesig sein können, enthüllt sie häufig, was dem Auge verborgen bleibt. So schuf sie etwa in *House* (1993) den Betonabguss eines Hauses an der Grove Road im Osten Londons. Die äußere Struktur des Hauses wurde entfernt, sodass nur das Innere blieb, um an sein früheres Selbst zu erinnern. Das dreigeschossige Gebäude sollte als Denkmal darauf verweisen, wie das Private öffentlich gemacht werden könnte. Neben Beton nutzt sie auch Gips, Kunstharz, Gummi und Metall. Sie setzt diese Materialien so ein, dass sie die Nuancen der Innenräume, die sie replizieren möchte, exakt wiedergeben. In *Ghost* (1990; gegenüber) hielt sie mit einem Gipsabguss ganz naturgetreu das Innere eines Zimmers aus einem englischen Haus aus dem 19. Jahrhundert fest. Ein zentrales Motiv in ihrem Werk sind London und seine städtische Entwicklung. So lenkt *House* die Aufmerksamkeit darauf, wie ältere Londoner Häuser durch rücksichtslose Modernisierungskampagnen bedrängt werden.

Im Jahr 2000 gestaltete Whiteread das Holocaust-Denkmal am Judenplatz in Wien. Dafür schuf sie eine eindrucksvolle Struktur, die Bibliotheksregalen ähnelt, deren Bücher nach außen zeigen. Diese zahllosen unlesbaren Bücher erinnern an die tragische Zerstörung menschlicher Leben während des Holocaust. Die Bücher dienen als lyrische Doppelgänger, die Gefühle von Verlust und Erinnerung vermitteln. Trotz seiner sachlichen Erscheinung verlangt Whitereads Werk nach einem intimen Zusammentreffen und ruft Erinnerungen und Geschichten hervor, die über die bildhauerische Installation hinausgehen. Die Künstlerin lebt und arbeitet in London.

Rachel Whiteread
Ghost, 1990
Gips auf Stahlrahmen,
269 x 355,5 x 317,5 cm
National Gallery of Art,
Washington, DC

Der Titel »*Ghost*« vermittelt die Idee einer Geistererscheinung, einer Präsenz, die sich normalerweise unserem Blick entzieht.

WICHTIGE WERKE

- *Untitled (Paperbacks)*, 1997, Museum of Modern Art (MoMA), New York, USA
- *Untitled (Stairs)*, 2001, Tate, London, Großbritannien
- *Untitled (Rooms)*, 2001, Tate, London, Großbritannien

WICHTIGE EREIGNISSE

- 1993 – Whiteread gewinnt als erste Frau den renommierten Turner-Preis. Am selben Tag beschließt der Stadtrat, das Werk zu zerstören und folgt damit der harschen Kritik der Anwohner. Im Januar 1994 ist das Werk verschwunden und es bleiben nur Schwarzweißbilder und eine Videodokumentation.
- 2003 – Whiteread wird von der BBC-Sendung Public Art eingeladen, einen Raum auf der Grundlage des Raums 101 des BBC Broadcasting House zu erschaffen, kurz bevor dieser umgebaut wird. Es heißt, dieser spezielle Raum habe George Orwell zu der Folterkammer in seinem dystopischen Roman *1984* inspiriert, den er 1949 veröffentlichte.

TRACEY EMIN
* 1963

Besonders bekannt ist die britische Künstlerin Tracey Emin für ihre autobiografischen Arbeiten. In unterschiedlichen Medien – Malerei, Zeichnung, Bewegtbild, Installation, Fotografie, Handarbeiten und Bildhauerei – erkundet sie die Erfolge und Fehlschläge ihres persönlichen Lebens. Werke wie *My Bed* (1998; gegenüber) sind sowohl sexuell provokant als auch beherrscht von einem Gefühl des Verlusts und der Fragilität: In dem ungemachten Bett durchlebte die Künstlerin mehrere Wochen emotionaler Unruhe und verbrachte schließlich vier Tage hintereinander darin.

Everyone I Have Ever Slept With 1963–1995 (1995), ein Zelt mit den Namen aller Menschen, mit denen sie jemals das Bett geteilt hat, basiert ebenfalls auf ihren Lebenserfahrungen. Wie dieses Stück zeigt, nutzt sie oft traditionelle Handarbeitstechniken wie Applizieren und Sticken und funktioniert sie subversiv um. Ihre gleichzeitig intimen und provokanten Kunstwerke balancieren auf dem schmalen Grat zwischen privatem Bekenntnis und öffentlicher Bloßstellung. Emin ist eng mit den Young British Artists verbunden und wurde ebenfalls in »Sensation« vorgestellt, der bahnbrechenden und dennoch kontroversen Ausstellung der Londoner Royal Academy of Arts aus dem Jahre 1997. Sie besitzt Abschlüsse des Maidstone College of Art sowie des Royal College of Art in London.

Tracey Emin
My Bed, 1998
Matratze, Bettwäsche, Kissen, Objekte, unterschiedliche Maße
Leihgabe an die Tate Modern, London

Um das Bett herum verstreut liegen persönliche Gegenstände: leere Wodkaflaschen, Hausschuhe und Unterwäsche, zerknüllte Zigarettenpackungen, Kondome und Verhütungsmittel, ein Kuscheltier und verschiedene Polaroid-Selbstporträts. Emin stellte ihr Bett genauso dar, wie es in einer schwierigen Periode ihres Lebens aussah.

WICHTIGE WERKE

- *Why I Never Became a Dancer*, 1995, Tate, London, Großbritannien
- *For You*, 2002, Kathedrale von Liverpool, Großbritannien
- *The Distance of Your Heart*, 2018, Ecke Bridge/Grosvenor Street, Sydney, Australien

WICHTIGE EREIGNISSE

- 2004 – *The Last Thing I Said To You Is Don't Leave Me Here* (*The Hut*; 1999), zerstört bei einem Lagerbrand, East London.
- 2007 – Emin war die zweite Künstlerin, die Großbritannien auf der Biennale in Venedig repräsentierte.
- 2013 – Für ihre Arbeit in der darstellenden Kunst ernennt Königin Elisabeth II. sie zum Commander of the Most Excellent Order of the British Empire.
- 2012 – Emin gehört zu den 12 britischen Künstlern, die eines der in limitierter Auflage hergestellten Poster für die Olympischen und Paralympischen Spiele in London entwerfen.

LYNETTE YIADOM-BOAKYE
* 1977

Lynette Yiadom-Boakye
Mercy Over Matter, 2017
Öl auf Leinwand,
200,5 x 120 cm
Mit frdl. Genehmigung der Künstlerin, Corvi-Mora, London, und Jack Shainman Gallery, New York

Die gedämpften Farben, die generische Kleidung und der undeutliche Hintergrund verstärken die Vieldeutigkeit von Yiadom-Boakyes Fiktion.

Lynette Yiadom-Boakye ist Künstlerin ghanaischer Abstammung und lebt in London. Sie besuchte Central Saint Martins, London, die Falmouth University und die Royal Academy Schools, London. Die Porträtmalerei ist ein zentrales Element ihrer Kunst, allerdings weist sie darauf hin, dass alle Figuren in ihren Porträts fiktiv sind:

> Ich habe an einer Reihe von Porträts gearbeitet. Es sind keine existierenden Menschen, aber sie wirken vertraut. Meine Liste wächst und enthält einige meiner Lieblingscharaktere. Dazu gehören unter anderem Grammy-Gewinner (die dankbar Preise annehmen), Revolutionäre, Fanatiker, Anthropologen und Missionare (gut, um uns zu zeigen, wie man lebt), Wilde (gut, um uns zu zeigen, wie weit wir gekommen sind, und wie man nicht lebt), Radikale und die allgemein Wütenden.

Diese Worte sind die Essenz von Yiadom-Boakyes Werk, das sich auf der Grenze zwischen Fiktion und Realität bewegt. Ihre Porträts, die sie aus dem Gedächtnis erschafft oder aus den vielen visuellen Stimuli abruft, die ihr täglich begegnen, sind ein Produkt ihrer Fantasie. Die Tradition der Porträtmalerei verschafft sich in diesen vieldeutigen Visionen neue Geltung. Yiadom-Boakyes Stil erinnert an Maler des 19. Jahrhunderts wie Édouard Manet und James Abbott McNeill Whistler. Wie diese präsentiert sie dem Betrachter zahllose Figuren von Tänzern bis zu Badenden. Die Stärke dieser modernen Malerin liegt in ihrer offensichtlichen Verschleierung der Realität durch naturalistische Mittel. Sie lebt und arbeitet in London.

WICHTIGE EREIGNISSE

- 2013 – Das Werk der Künstlerin wird in »The Encyclopedic Palace« der 55. Biennale in Venedig aufgenommen.
- 2013 – Yiadom-Boakye wird für ihre Ausstellung in der Londoner Chisenhale Gallery 2012 für den Turner Prize nominiert.

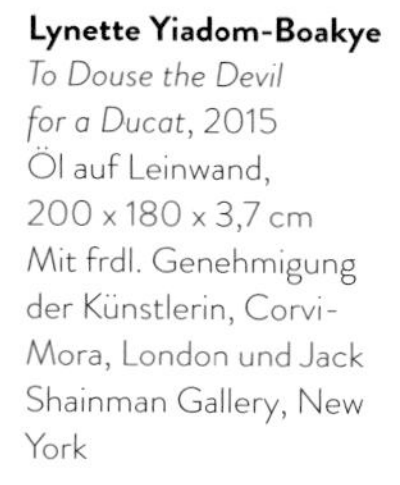

Lynette Yiadom-Boakye
To Douse the Devil for a Ducat, 2015
Öl auf Leinwand, 200 x 180 x 3,7 cm
Mit frdl. Genehmigung der Künstlerin, Corvi-Mora, London und Jack Shainman Gallery, New York

Die zwei Figuren sind miteinander verschlungen, während sie gleichzeitig anmutig jeweils auf einem Fuß balancieren. Ihre Posen erinnern an die Choreografien klassischer Ballerinen, während ihre Gesichtsausdrücke auf eine lange Freundschaft hindeuten. Wie in allen Werken von Yiadom-Boakye ist hier Fiktion im Spiel und dies ist nur eine von vielen möglichen Interpretationen.

AMALIA PICA
* 1978

Kommunikation ist der Kern von Amalia Picas Methode. Geboren in Neuquén, Patagonien, und aufgewachsen unter der Staatsdiktatur in Argentinien, hinterfragt und erkundet sie in ihrem Werk die Rolle der Sprache. Die Aufnahme und Weitergabe von Botschaften sowie der Austausch zwischen den Menschen ist der Fokus von Picas Zeichnungen, Installationen, Skulpturen, Fotografien, Performances und Videos. So untersucht Pica etwa in dem Performance-Stück *Strangers* die Kommunikation zwischen Fremden. Zwei Fremde werden gebeten, jeweils ein Ende einer farbigen Wimpelkette zu halten. Der Abstand zwischen ihnen hindert sie jedoch daran, jemals ein vertrauliches Gespräch zu beginnen.

In *A ∩ B ∩ C* (»A schneidet B schneidet C«; 2013; gegenüber) behandelt sie erneut die Interaktionen zwischen Menschen. Hier gibt sie einigen Darstellern farbige Acrylformen und bittet sie, kreuz und quer herumzulaufen und die Formen in unerwarteten Kombinationen hochzuhalten. In ihrer endlosen Variabilität lenkt *A ∩ B ∩ C* die Aufmerksamkeit auf ein weiteres Phänomen, das Pica in ihrem *Venn Diagram (under the spotlight)* (2011) erkundet hat: die Zensur der Bildung durch das argentinische Regime. Venn-Diagramme waren in den 1970ern in argentinischen Lehrbüchern verboten, da das Konzept der Schnittmenge als potenziell subversiv angesehen wurde. Indem sie der Notwendigkeit an Austausch und Überschneidung neue Geltung verschafft, verweist Pica auf aktuelle und historische Fragen und Probleme rund um die Kommunikation. Die Künstlerin lebt und arbeitet in London und Mexiko-Stadt.

Amalia Pica
A ∩ B ∩ C, 2013
Performance und Acrylglasformen
Mit frdl. Genehmigung Herald St, London

Bei jeder Performance nimmt die Komposition eine andere Form an und am Ende der Performance werden die Formen auf erhöhten Regalen an einer Wand abgestellt – auch jedes Mal anders.

WICHTIGE EREIGNISSE

- 2011 – Pica nimmt auf der 54. Biennale in Venedig an »ILLUMInations« teil.
- 2011 – Die Künstlerin erhält einen Award for Artists der Paul Hamlyn Foundation.

GUERRILLA GIRLS
gegründet 1985

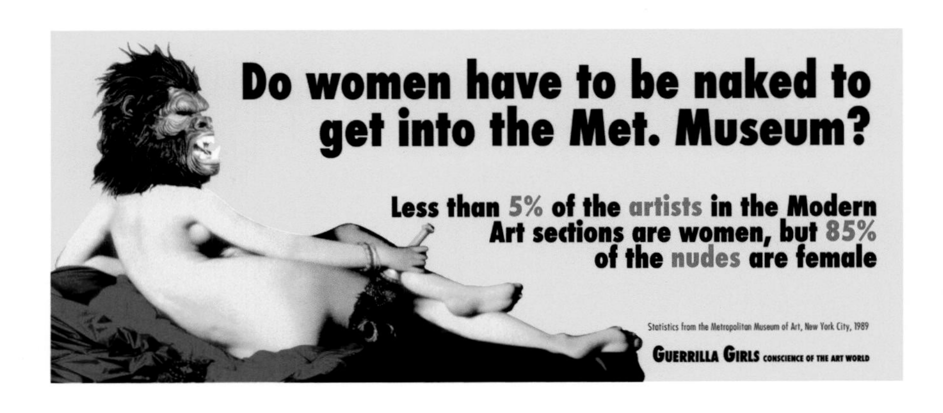

1989 fragte das feministische Aktivistenkollektiv Guerrilla Girls: »Do women have to be naked to get into the Met. Museum?« (Müssen Frauen nackt sein, um in das Met. Museum zu kommen?) Diese provokante Frage, die später in einen Siebdruck verwandelt wurde, richtete sich an Museumsbesucher, Sammler und andere Leute aus der Kunstwelt. Das Metropolitan Museum of Art, New York, eine der schönsten und berühmtesten Institutionen der Welt, zeigte fast ausschließlich Werke von männlichen Künstlern. Wie die Guerrilla Girls berichteten: »Weniger als 5 % der Künstler in der Abteilung Moderne Kunst sind Frauen, aber 85 % der Akte sind weiblich.« Die Guerrilla Girls sprachen hier die beunruhigende Tatsache an, dass Frauen und ihre Körper schon seit langer Zeit die Protagonisten der modernen Kunst sind, aber ihre Arbeit als Künstlerinnen dennoch kaum anerkannt wird. Wie dieses Buch zeigt, kämpfen Frauen schon seit Jahrhunderten darum, wahrgenommen zu werden, auszustellen und von ihren männlichen Kollegen ernst genommen zu werden –

Guerrilla Girls
Do women have to be naked to get into the Met. Museum?, 1989
Offset-Druck auf Papier, 28 x 71 cm
Mit frdl. Genehmigung der Guerrilla Girls

Das Werk der Guerrilla Girls besteht aus Siebdrucken – wie dem hier abgebildeten – sowie Postern, Plakatwänden und einem korrigierten kunsthistorischen Überblick, geschrieben aus feministischer Perspektive.

die als Gorillas verkleideten Guerrilla Girls versuchten, dies durch humorvolle und provokante Aktionen zu erreichen.

Auslöser für die Geburt der Guerrilla Girls war die Ausstellung »An International Survey of Painting and Sculpture«, die 1985 am Museum of Modern Art in New York stattfand. Unter den 169 Teilnehmern dieser Ausstellung waren nur 13 Frauen. Aus diesem Anlass fühlten sich die Guerrilla Girls verpflichtet, vor dem Museum zu demonstrieren, um auf diese unfaire Diskrepanz hinzuweisen.

Seit 1985 ist diese mutmaßlich heterogene Gruppe von Frauen, deren Identität durch King-Kong-artige Gorilla-Masken verschleiert wird, eine ständige Präsenz in der amerikanischen und internationalen Kunstlandschaft. Ziel der Gruppe ist es, das Ungleichgewicht der Geschlechter in der Kunstwelt zu korrigieren und gleichzeitig dringende gesellschaftliche und politische Probleme anzusprechen, wie etwa Krieg und Abtreibung. Um ihre feministische Mission zu stärken, verwendet jedes der Guerrilla Girls als Pseudonym den Namen einer legendären Künstlerin oder Autorin (von denen viele in diesem Buch vertreten sind), wie etwa Paula Modersohn-Becker, Eva Hesse und Frida Kahlo.

WICHTIGE EREIGNISSE

- 1995 – Die Guerrilla Girls veröffentlichen *Confessions of the Guerrilla Girls*, eine Geschichte der Bewegung.
- 1998 – Das Buch *A Guerrilla Girl's Bedside Companion to the History of Western Art* erscheint.
- 2005 – Die Guerrilla Girls nehmen mit ihren aussagekräftigen Plakaten an der Biennale in Venedig teil: »Welcome to the Feminist Biennale« spricht die Probleme des Ungleichgewichts von Geschlecht und Rasse an. In Venedig erkunden sie außerdem die Lager der venezianischen Museen und heben die Tatsache hervor, dass Arbeiten von Frauen meist in den Magazinen liegen, statt in Galerien ausgestellt zu werden.

1550

1558
Elisabeth I. wird Königin von England, eine charismatische Staatsfrau.

1596
Hardwick Hall wird fertiggestellt, entworfen und erbaut von Elizabeth Talbot (Bess of Hardwick); es war eines der größten Landhäuser im Elisabethanischen England.

1678
Elena Cornaro Piscopia aus Venedig erhält als erste Frau einen Doktortitel.

1762
Katharina II. wird Kaiserin von Russland; sie wird zur progressiven Reformerin und bleibt als Herrscherin am längsten an der Macht (1762 bis 1796).

1776
Abigail Adams, amerikanische Revolutionärin, Abolitionistin und Feministin, bittet ihren Mann John Adams, 2. Präsident der USA, »an die Frauen zu denken und ihnen gegenüber großzügiger und wohlgesonnener zu sein als seine Vorgänger«.

1792
Die englische Autorin, Philosophin und Vertreterin für Frauenrechte, Mary Wollstonecraft, veröffentlicht *A Vindication of the Rights of Woman*, in dem sie für die Frauen Gerechtigkeit in Bildung und Sozialleben fordert.

1828
Die deutsche Wissenschaftlerin Caroline Herschel erhält die Goldmedaille der Royal Astronomical Society. Sie entdeckte als erste Frau einen Kometen.

1860

1867
Die London Society for Women's Suffrage, die Suffragetten, werden gegründet, um für das Frauenwahlrecht zu demonstrieren.

1876
Die fortschrittliche finnische Turnerin Elin Kallio gründet in Finnland den ersten Turnverein für Frauen.

1888
Marie Popelin wird als erster Frau in Belgien ein Doktortitel der Rechtswissenschaft an der Université Libre de Bruxelles verliehen. Ihr wurde die Mitgliedschaft in der Anwaltskammer aufgrund ihres Geschlechts verweigert, darum gründete sie mit anderen Frauen die belgische Liga für Frauenrechte.

1889
Sofja Kowalewskaja ist die erste Mathematikprofessorin an der Universität von Stockholm. 1888 war sie die erste Frau, die zum korrespondierenden Mitglied der Russischen Akademie der Wissenschaften ernannt wurde.

1900

1900
Zum ersten Mal treten Frauen bei den Olympischen Spielen an (Tennis, Segeln, Krocket, Reiten und Golf).

1901
Marie Heim-Vögtlin, eine Ärztin, ist Mitbegründerin der ersten Schweizer Frauenklinik mit ausschließlich weiblichem Personal.

1911
Der erste Internationale Frauentag wird in Österreich, Dänemark, Deutschland und der Schweiz begangen.

Marie Curie, Entdeckerin des Elements Radium, wird als erster Frau der Nobelpreis verliehen.

1915
Frauen aus den USA und Europa treffen sich in Den Haag in den Niederlanden zum 1. Internationalen Frauenkongress.

1916
Die Vorreiterin in Sachen Familienplanung, Margaret Sanger, eröffnet die erste Klinik für Geburtenkontrolle in den Vereinigten Staaten.

1917
Die Frauen in Russland streiken für »Brot und Frieden« und lösen damit die Russische Revolution aus.

1920 | 1942 | 1970

20
er Vertrag von Versailles schreibt
eiche Bezahlung für Frauen wie für
änner vor.

23
argaret Sanger eröffnet die erste
gale, von Ärzten betriebene Klinik zur
eburtenkontrolle in den USA.

26
ertrude Ederle durchschwimmt als
ste Frau den Ärmelkanal.

28
auen treten erstmals im Turnen
d in der Leichtathletik bei den
ympischen Spielen an.

31
ertrude Vanderbilt Whitney ist die
ste Frau, die ein großes Museum
ündet: das Whitney Museum of
nerican Art in New York.

1946
Die Frauenrechtskommission der Vereinten Nationen wird gegründet.

1948
Sophie Drinker, eine amerikanische Musikerin, der die Gründung von Musikstudien für Frauen zugeschrieben wird, veröffentlicht *Music and Women: The Story of Women in their Relation to Music*.

1949
Simone de Beauvoirs *Das andere Geschlecht* wird veröffentlicht.

1952
Israel erklärt mit dem Gleichberechtigungsgesetz für Frauen die Geschlechterdiskriminierung für illegal.

1963
Betty Friedan veröffentlicht *Der Weiblichkeitswahn*, einen Schlüsseltext für die Frauenbewegung.

1963
Die russische Kosmonautin Walentina Tereschkowa wird die erste Frau im All.

1966
Indira Gandhi wird Indiens erste weibliche Premierministerin.

1971
Helga Pederson wird erste weibliche Richterin am Europäischen Gerichtshof für Menschenrechte.

1979
Mutter Teresa wird mit dem Friedensnobelpreis für ihre Arbeit in Indien ausgezeichnet.

1988
Benazir Bhutto, Premierministerin von Pakistan, steht als erste Frau in der modernen Geschichte einem muslimischen Staat vor.

1993
Toni Morrison wird als erste Afro-Amerikanerin mit dem Nobelpreis für Literatur ausgezeichnet.

2001
Nach der Einführung im Jahr 1999 wird das Frauenwahlrecht in Kuwait wieder abgeschafft.

2009
Michelle Obama wird die erste afro-amerikanische First Lady in den USA.

2017
Die #MeToo-Bewegung gegen sexuelle Belästigung und Übergriffe breitet sich über soziale Medien aus.

2018
Die National Gallery, London, kauft das Bild *Porträt als heilige Katharina* (ca. 1615–17) von Artemisia Gentileschi, das 21. Werk einer weiblichen Malerin in der ständigen Ausstellung.

GLOSSAR

Abstrakter Expressionismus: Eine von amerikanischen Malern in den 1940ern und 1950ern entwickelte Bewegung. Die Künstler, wie Jackson Pollock und Willem de Kooning, lebten meist in New York. Ihr Bestreben war es, eine ausdrucksvolle und emotionale Kunst zu schaffen, die auf gegenstandslosen abstrakten Formen beruht.

***Aeropittura*:** Ein Aspekt der futuristischen Malerei, der die Erfahrungen des modernen Lebens, speziell des Fliegens, beschwört.

Art Deco: Ein dekorativer Stil der 1920er und 1930er, der sich durch geometrische oder stilisierte Formen auszeichnet, die auf den modernistischen Formen des Jugendstil basieren.

Avantgarde: Der Begriff tauchte das erste Mal in der ersten Hälfte des 19. Jahrhunderts in Frankreich auf. In der Kunst werden innovative künstlerische Praktiken als Avantgarde (was Vorhut oder Vorreiter bedeutet) bezeichnet. Beispielhafte Avantgarde-Bewegungen sind Kubismus und Futurismus.

Bloomsbury Group: Eine Gruppe am Anfang des 20. Jahrhunderts, die aus Freundschaften zwischen Künstlern, Schriftstellern und Intellektuellen entstand und sich regelmäßig im Londoner Stadtteil Bloomsbury traf.

Barock: Ein Stil in Kunst, Architektur und Musik, der in Europa zwischen ca. 1600 und 1750 praktiziert wurde und stark auf Dynamik und Bewegung sowie ein hohes Maß an Theatralik setzte.

Caravaggisten: Beschreibt Künstler, deren Stil sich an Caravaggios Einsatz von dramatischem Licht und starkem Chiaroscuro orientierte.

Der Blaue Reiter: Eine zwischen 1911 und 1914 in München entstandene Künstlerbewegung, die auf abstrakten Bildern und leuchtenden Farben basiert. Wichtige Mitglieder: Wassily Kandinsky, Franz Marc, Gabriele Münter, Paul Klee und August Macke. Die Ziele der Gruppe wurden im *Almanach »Der Blaue Reiter«* zusammengefasst, der 1912 veröffentlicht und von Kandinsky und Marc herausgegeben wurde.

Entartete Kunst: Ein von den Nazis geprägter Begriff, um die Werke von avantgardistischen Künstlern zu beschreiben, die nicht mit der nationalsozialistischen Ideologie und der Verbreitung ihrer Werte konform gingen.

Künstlerinnen, die entsprechend verunglimpft wurden, waren Maria Casper-Filser, Jacoba van Heemskerck, Marg Moll, Magda Nachman und Emy Roeder.

Farbfeldmalerei: Ein abstrakter Malstil, bei dem Farbfelder auf die Leinwand gemalt werden. Die Farbfeldmalerei entwickelte sich in den USA von Mitte der 1950er bis Ende der 1960er. Die Werke von Ellsworth Kelly und Morris Louis werden mit dieser Bewegung verknüpft.

Feministische Kunst: Beschreibt die von Frauen im Sinne feministischer Ideale und Theorien geschaffene Kunst.

Fluxus: Eine lockere Vereinigung internationaler Künstler, die zwischen 1962 und den frühen 1970ern aktiv war und sich unkonventionellen Formen der Kunstschöpfung zuwandten, wie etwa Happenings, Performance-Kunst und Festivals.

Fotomontage: Eine Technik, die auf dem Zerschneiden, Anordnen und Zusammenkleben vorhandener Fotografien basiert, aus denen eine neue Komposition entsteht.

Futurismus: Der italienische Dichter Filippo Tommaso Marinetti startete 1909 mit dem *Manifest des Futurismus* die futuristische Bewegung. Futuristen lehnten die Vergangenheit vehement ab und begrüßten die moderne Welt. Mit dem Ende des Ersten Weltkriegs startete der Futurismus den sogenannten »zweiten Futurismus«, eine Phase, die sich durch einen breiteren Einfluss der Bewegung auf unterschiedliche Bereiche, darunter Design, Mode und Theater, sowie ein zunehmendes Interesse am Fliegen auszeichnet (siehe *Aeropittura*).

Grand Tour: Im 18. Jahrhundert reisten viele junge Adlige nach Italien, um die kulturellen Reichtümer dieses Landes zu erleben. Besuche in Rom, Venedig, Florenz und Neapel waren ein Muss. Andere Reiseziele waren Frankreich und Griechenland.

Happening: Ein 1959 vom Künstler Allan Kaprow geprägter Begriff. Happenings bezogen den Künstler und möglicherweise auch den Zuschauer in Aktionen ein, die sich nicht auf eine Galerie beschränkten.

Impressionismus: Eine Bewegung in der französischen Malerei, die auf skizzenartiger Pinselführung beruht und sich bemüht, das moderne Leben sowie Landschaften darzustellen. Der Begriff »Impressionismus« wurde von dem Kunstkritiker Louis Leroy geprägt, der in einer beißenden

Kritik die Werke von Claude Monet und seiner Kollegen als zu subjektiv verdammte, weil sie »auf ihren persönlichen Impressionen basierten«.

Manifest: Eine schriftliche Erklärung, die die Ziele einer Gruppe zusammenfasst.

Manierismus: Charakterisiert italienische Kunst aus der Zeit nach der Renaissance und vor dem Aufkommen des Barock. Allerdings galt der Manierismus als zu verworren, übermäßig kompliziert und zuweilen auch unausgewogen und wurde daher oft abwertend gesehen.

Klassizismus: Ein Ende des 18. und Anfang des 19. Jahrhunderts entstehender Stil, der auf dem Studium der antiken Kunst beruht und sowohl Architektur, dekorative als auch darstellende Kunst einbezieht. Zu den führenden Künstlern dieses Stils gehörten der Maler Jacques-Louis David und der Bildhauer Antonio Canova.

Konzeptkunst: Eine Bewegung, die den Gedanken über die Form stellt. Die Konzeptkunst entwickelte sich von Mitte der 1960er- durch die 1970er-Jahre hindurch. Zu ihren wichtigsten Künstlern zählen Lawrence Weiner und Joseph Kosuth.

Kubismus: Eine Form der Darstellung von Realität, die durch Georges Braque und Pablo Picasso eingeführt wurde. Sie beruht darauf, dass ein Mensch oder Objekt gleichzeitig von mehreren Blickpunkten aus betrachtet wird, und zeichnet sich durch abstrakte und fragmentierte Flächen aus.

Nouveau Réalisme: Eine von dem Kritiker Pierre Restany im Jahre 1960 gegründete französische Bewegung, die auf der Sammlung bereits vorhandener Objekte und Materialien beruht.

Omega Workshops: Eine Kooperative von Künstlern, die 1913 von dem Kunstkritiker Roger Fry gegründet wurde, um Haushaltsgegenstände herzustellen. Eine der führenden Künstlerinnen der Gruppe war Vanessa Bell. 1919 wurden die Omega Workshops verkauft.

Performance-Kunst: Gewann Ende der 1960er- und in den 1970er-Jahren an Bedeutung. Als Kunstform beruht die Performance-Kunst auf einer Kombination von Elementen aus Theater, Musik und bildender Kunst.

***Pleinair*:** Eng mit den impressionistischen Malern verbunden, die häufig *en plein air* (im Freien) arbeiteten.

Pop Art: Eine Bewegung, die Ende der 1950er entstand und sich in den 1960ern weiterentwickelte. Die Pop Art bezog ihre Motive aus der Welt der Werbung, des Konsums und der Popkultur. Das Alltägliche war integraler Bestandteil, banale Objekte und Bilder wurden künstlich überhöht.

Postimpressionismus: Ein übergreifender Begriff, der Entwicklungen in der Nachfolge des Impressionismus beschreibt. Der britische Kunstkritiker Roger Fry prägte diesen Begriff aus Anlass seiner Ausstellung »Manet and the Post-Impressionists« in den Londoner Grafton Galleries im Jahre 1910.

Rokoko: Dieser Stil, der seinen Ursprung am Anfang des 18. Jahrhunderts in Frankreich hatte, gilt als unbeschwert und sinnenfreudig. Das Wort ist eine Zusammensetzung aus »Rocaille« (Muschelwerk) und »Barocco« (Barock).

Salon: Jährliche Ausstellungen, die ab 1667 unter der Schirmherrschaft der französischen Académie Royale de la Peinture et de Sculpture in Paris stattfanden. Mit der Schaffung unabhängiger Ausstellungen wie dem Salon d'Automne und dem Salon des Indépendants verlor der Salon im 19. und frühen 20. Jahrhundert nach und nach an Einfluss.

Surrealismus: Entstanden als literarische Bewegung, wurde die Idee des Surrealismus zuerst von dem Dichter André Breton im *Ersten Manifest des Surrealismus* (1924) dargelegt. Der Surrealismus verlangt, jegliche Kontrolle zu unterdrücken und sich stattdessen Automatismus und den Zugang zum Unterbewussten zu eigen zu machen, was dazu führt, dass beziehungslose Bilder nebeneinander gestellt werden.

Umgebungskunst: Eine Kunstform, bei der der Zuschauer eingeladen wird, einen dreidimensionalen Raum zu betreten, den der Künstler geschaffen hat.

Young British Artists: Der Begriff (oft als YBA abgekürzt), der sich nicht auf einen bestimmten Stil beschränkt, geht zurück auf die gleichnamige Ausstellung der Galerie Saatchi 1992 in London. Es war die erste einer ganzen Reihe von Ausstellungen mit Werken junger Künstler wie Damien Hirst, Sarah Lucas und Tracey Emin.

LITERATUREMPFEHLUNGEN

Armstrong, Carol und Zegher, Catherine de, Hrsg., *Women artists at the millennium.* (MIT Press, Cambridge/London, 2006)

Butler, Cornelia H. und Mark, Lisa Gabrielle, *Wack!: Art and the Feminist Revolution.* (Museum of Contemporary Art/MIT Press, Los Angeles/Cambridge/London, 2007)

Butler, Cornelia H. und Schwartz, Alexandra, Hrsg., *Modern Women: Women Artists at the Museum of Modern Art* (Thames & Hudson, New York/London, 2010)

Caws, Mary Ann, *Women of Bloomsbury: Virginia, Vanessa and Carrington* (Routledge, New York/London, 1990)

Caws, Mary Ann, Hrsg., *Surrealism and Women* (MIT Press, Cambridge, 1991)

Chadwick, Whitney, *Frauen, Kunst und Gesellschaft* (Deutscher Kunstverlag, Berlin, München, 2013)

Chapman, Caroline, *Eighteenth-century Women Artists: their Trials, Tribulations and Triumphs* (Unicorn Publishing Group, London, 2017)

Dabbs, Julia K., *Life Stories of Women Artists, 1550–1800: an Anthology* (Ashgate, Farnham, 2009)

Deepwell, Katy, Hrsg., *Women Artists and Modernism* (Manchester University Press, Manchester, 1998)

Laurence, Madeline, Hrsg., *Women Artists in Paris, 1850–1900* (American Federation of Arts/Yale University Press, New York/New Haven, 2017).

Jones, Amelia, Hrsg., *The Feminism and Visual Culture Reader* (Routledge, London, 2010)

Malycheva, Tanja und Wünsche, Isabel, Hrsg., *Marianne Werefkin and the Women Artists in her Circle* (Brill Rodopi, Leiden/Boston, MA, 2017)

Marter, Joan, Hrsg., *Women of abstract expressionism* (Denver Art Museum/Yale University Press, Denver/New Haven, 2016)

Nochlin, Linda und Sutherland Harris, Ann, Hrsg., *Women Artists, 1550–1950* (Museum of Contemporary Art, Los Angeles/Alfred A. Knopf, Los Angeles/New York, 1976)

Nochlin, Linda und Bolloch, Joelle, Hrsg., *Women in the 19th century: Categories and Contradictions* (New Press/Musée d'Orsay, New York/Paris, 1997)

Nochlin, Linda und Reilly, Maura, Hrsg., *Global Feminisms: New Directions in Contemporary Art* (Merrell, London, 2007)

Schor, Gabriele, *Feministische Avantgarde: Kunst der 1970er Jahre aus der Sammlung Verbund, Wien* (Prestel, München, 2016)

Zegher, Catherine de, Hrsg., *Inside the Visible: an Eliptical Traverse of Twentieth-century Art in, of, and from the Feminine* (MIT Press, Cambridge/London, 1996)

INDEX DER KÜNSTLER

Haupteinträge sind **fett**, Illustrationen sind *kursiv*.

BILDNACHWEISE

S. 2 Mit frdl. Gen. Ota Fine Arts, Tokio/Singapur/Shanghai und Victoria Miro, London/Venedig. © Yayoi Kusama; **8** Los Angeles County Museum of Art. Nachlass Mrs. Fred Hathaway Bixby, M.62.8.14; **11** Privatsammlung; **13** Schloss Weißenstein, Schönbornsche Kunstsammlungen, Pommersfelden; **15** Royal Collection; **17** National Museum of Women in the Arts, Washington, DC Geschenk von Wallace und Wilhelmina Holladay. Foto The Picture Art Collection/Alamy Stock Photo; **18–19** Museo del Prado, Madrid; **21** The J. Paul Getty Museum, Los Angeles; **22** National Portrait Gallery, London; **25** Sammlung Royal Academy of Arts. Ankauf beauftragt von Angelika Kauffmann RA 1778-1780 (03/1129). Foto John Hammond/Royal Academy of Arts, London; **27** Museum of Fine Arts, St. Petersburg, Florida. Rexford Stead Art Purchase Fund; **29, 30** The J. Paul Getty Museum, Los Angeles; **32** Musée d'Orsay, Paris; **33** Wallace Collection, London. Photo Art Collection 3/Alamy Stock Photo; **35** Musée d'Orsay, Paris; **36** The Metropolitan Museum of Art. Teilschenkung von Mr. und Mrs. Douglas Dillon, 1992, 1992.103.2; **39** Los Angeles County Museum of Art. Nachlass Mrs. Fred Hathaway Bixby, M.62.8.14; **41** National Gallery of Art, Washington, DC, Chester Dale Collection, 1963.10.95; **42** Palazzo delle Poste, Palermo. Mit frdl. Gen. Archivio Storico di Poste Italiane. Foto AGR/Riccardi/Paoloni. © Benedetta Cappa Marinetti, mit Erlaubnis der Erben von Vittoria Marinetti und Luce Marinetti; **45** Hilma af Klint Foundation, Stockholm; **47** Freie Hansestadt, Bremen. Photo Art Collection 3/Alamy Stock Photo; **48** Freie Hansestadt, Bremen; **51** Städtische Galerie im Lenbachhaus, München. © DACS 2019; **52** National Portrait Gallery, London. Erworben aus dem Nachlass von Dame Helen Gardner, 2005. © The Estate of Vanessa Bell, mit frdl. Gen. Henrietta Garnett; **54** Museo Nacional Thyssen-Bornemisza/Scala, Florenz. © Pracusa 2018650; **57** Crystal Bridges Museum of American Art, Bentonville, Arkansas. © Georgia O'Keeffe Museum/DACS 2019; **58** The Metropolitan Museum of Art, New York. Alfred Stieglitz Collection, 1959, 59.204.2/Art Resource/Scala, Florenz. © 2018 The Metropolitan Museum of Art; **61** Nationalgalerie, Staatliche Museen zu Berlin. © DACS 2019; **62** Los Angeles County Museum of Art. Erworben mit Mitteln aus dem Vermögen von Hans G. M. de Schulthess und dem Nachlass von David E. Bright, 87.4; **64, 65** The J. Paul Getty Museum, Los Angeles; **67, 68** Palazzo delle Poste, Palermo. Mit frdl. Gen. Archivio Storico di Poste Italiane. Foto AGR/Riccardi/Paoloni. © Benedetta Cappa Marinetti, mit Erlaubnis der Erben von Vittoria Marinetti und Luce Marinetti; **71** Musée des Beaux-Arts de Nantes. Foto RMN-Grand Palais/Gérard Blot. © Tamara Art Heritage/ADAGP, Paris und DACS London 2019; **72** Foto Gordon R. Christmas, mit frdl. Gen. Pace Gallery. © ARS, NY und DACS, London 2019; **74** Privatsammlung, Turin. Foto Pino dell'Aquila. © Archivio Carol Rama, Turin; **77** Whitney Museum of American Art, New York. Schenkung von Timothy Collin. © The Estate of Alice Neel, mit frdl. Gen. David Zwirner, New York/London; **78** Museum of Fine Arts, Boston. © The Estate of Alice Neel, mit frdl. Gen. David Zwirner, New York/London; **80** Yale Center for British Art, Schenkung von Virginia Vogel Mattern in Erinnerung an ihren Ehemann, W. Gray Mattern, Yale College, Yale BA 1946. © Bowness; **83** Sammlung der Albright-Knox Art Gallery, Buffalo, New York. Nachlass von A. Conger Goodyear, 1966. © Banco de México Diego Rivera Frida Kahlo Museums Trust, Mexico, D.F./DACS; **85** Calouste Gulbenkian Foundation, Lissabon. Calouste Gulbenkian Museum – Moderne Sammlung. Foto Paulo Costa. © ADAGP, Paris und DACS, London 2019; **86** Sammlung Glenstone Museum, Potomac, Maryland. Foto Maximilian Geuter. © The Easton Foundation/DACS, London/VAGA, NY 2019; **88–9** Privatsammlung. Foto Simon Lane/Alamy Stock Photo. © The Easton Foundation/DACS, London/VAGA, NY 2019; **91** Installation am Museo de Bellas Artes, Caracas, Venezuela. Fundación de Museos Nacionales Collection. Foto Paolo Gasparini. © Fundación Gego; **92** Foto Claudia Garcés. © Fundación Gego; **95** Solomon R. Guggenheim Museum, New York, Schenkung, Sammlung Andrew Powie Fuller und Geraldine Spreckels Fuller, 1999. © Agnes Martin/ DACS 2019; **97** Sammlung von Navina und Vivan Sundaram. Foto The Picture Art Collection/Alamy Stock Photo; **98** National Gallery of Modern Art, New Delhi. Foto The Picture Art Collection/Alamy Stock Photo; **101** The Metropolitan Museum of Art, New York. Sammlung Pierre und Maria-Gaetana Matisse, 2002, 2002.456.1/Art Resource/Scala, Florenz © Nachlass von Leonora Carrington/ARS, NY und DACS, London 2019; **103** Privatsammlung, Turin. Foto Pino dell'Aquila. © Archivio Carol Rama, Turin; **104** Sammlung der Joan Mitchell Foundation, New York. © Nachlass von Joan Mitchell; **106** Helen Frankenthaler Foundation, New York, Dauerleihgabe an die National Gallery of Art, Washington, DC © Helen Frankenthaler Foundation, Inc./ARS, NY und DACS, London 2019; **109** © ADAGP, Paris. Mit frdl. Gen. The Estate of Alina Szapocznikow/Piotr Stanislawski/Galerie Loevenbruck, Paris/ Hauser & Wirth. Foto Fabrice Gousset, mit frdl. Gen. Loevenbruck, Paris; **110** Helen Frankenthaler Foundation, New York, Dauerleihgabe an die National Gallery of Art, Washington, DC © Helen Frankenthaler Foundation, Inc./ARS, NY Und DACS, London 2019; **113** Mit frdl. Gen. Ota Fine Arts, Tokio/Singapur/Shanghai und Victoria Miro, London/Venedig. © Yayoi Kusama; **114** Museum of Modern Art, New York. Schenkung der Niki Charitable Art Foundation, 860.2011. © Niki de Saint Phalle Charitable Art Foundation/ADAGP, Paris und DACS, London 2019; **117** Cytadela Park, Poznań, Poland. Foto Sherab/Alamy Stock Photo. © The Estate of Magdalena Abakanowicz, mit frdl. Gen. Marlborough Gallery; **119** Mit frdl. Gen. Galerie Lelong & Co., New York. © Yoko Ono; **120** Mit frdl. Gen. Sikkema Jenkins & Co. New York. Foto Andrea Avezzù. © Sheila Hicks; **123** Leeum, Samsung Museum of Art, Seoul. Mit frdl. Gen. Hauser & Wirth. © The Estate of Eva Hesse; **125** The Art Institute of Chicago, Schenkung von Arthur Keating und Mr. and Mrs Edward Morris im Austausch, April 1988. Foto Susan Einstein. Mit frdl. Gen. Hauser & Wirth. © The Estate of Eva Hesse; **127** Foto Joan Jonas. Mit frdl. Gen. der Künstlerin und Raffaella Cortese Gallery, Milan. © ARS, NY und DACS, London, 2019; **128** Brooklyn Museum, Schenkung der Elizabeth A. Sackler Foundation, 2002.10. © Judy Chicago. ARS, NY und DACS, London 2019; **131** © Carolee Schneemann; **132** Foto Andy Keate. Mit frdl. Gen. Herald St, London; **134** Mit frdl. Gen. der Künstlerin und Hauser & Wirth. © Anna Maria Maiolino; **135** Mit frdl. Gen. der Künstlerin und Hauser & Wirth. Foto Stefan Altenburger Photography Zürich. © Anna Maria Maiolino; **136, 138–9** Mit frdl. Gen. ROSEGALLERY, Santa Monica, CA. © Graciela Iturbide; **140** Mit frdl. Gen. Electronic Arts Intermix, New York; **143** Museum of Modern Art, New York, 2010. Foto Marco Anelli. Mit frdl. Gen. Marina Abramović Archives. © Marina Abramović. Mit frdl. Gen. Marina Abramović und Sean Kelly Gallery, New York. DACS 2019; **145** Mit frdl. Gen. Galerie Lelong & Co., New York, (GL2225). © The Estate of Ana Mendieta, LLC; **147, 148** Mit frdl. Gen. der Künstlerin und Metro Pictures, New York; **151, 153** Mit frdl. Gen. Charles Woodman und Victoria Miro Gallery, London. © Mit frdl. Gen. Charles Woodman; **154, 155** Privatsammlung, London. Mit frdl. Gen. Matthew Stephenson, London; **157** National Gallery of Art, Washington, DC Schenkung The Glenstone Foundation, 2004.121.1. Mit frdl. Gen. der Künstlerin und Gagosian. Foto Mike Bruce. © Rachel Whiteread; **158** © Tracey Emin. Alle Rechte vorbehalten, DACS/Artimage 2018. Bild mit frdl. Gen. Saatchi Gallery, London. Foto Prudence Cuming Associates Ltd; **160, 161** Mit frdl. Gen. der Künstlerin, Corvi-Mora, London, und Jack Shainman Gallery, New York; **163** Foto Andy Keate. Mit frdl. Gen. Herald St, London; **164** © Guerrilla Girls, mit frdl. Gen. guerrillagirls.com

ART ESSENTIALS

www.artessentials.de
www.midascollection.com

IMPRESSUM

2. Auflage
© 2021 Midas Collection
ISBN 978-3-03876-149-5

Herausgeber: Gregory C. Zäch
Übersetzung: Claudia Koch,
Kathrin Lichtenberg
Korrektorat: Sabine Müthing
Layout: Ulrich Borstelmann

Midas Verlag AG
Dunantstrasse 3
CH 8044 Zürich

www.midas.ch

Englische Originalausgabe:
Women Artists © 2019
Thames & Hudson Ltd, London
Text © 2019 Flavia Frigeri

Die deutsche Nationalbibliothek verzeichnet diese Publikation in der Deutschen Nationalbibliografie; detaillierte bibliografische Daten sind im Internet abrufbar unter: http://www.dnb.de

QUELLENANGABEN

1. Umschlagseite: Cindy Sherman, *Untitled Film Still #21*, 1978. Mit frdl. Gen. der Künstlerin und Metro Pictures, New York (Detail von S. 147)

Titelseite: Yayoi Kusama, *Infinity Mirrored Room – Filled with the Brilliance of Life*, 2011 (Detail von S. 113). Mit frdl. Gen. Ota Fine Arts, Tokio/Singapur/Shanghai und Victoria Miro, London/Venedig. © Yayoi Kusama

Kapitelanfangsseiten: S. 8 Mary Cassatt, *Mutter, die ihr schläfriges Kind wäscht*, 1880, Los Angeles County Museum of Art, Los Angeles (Detail von S. 39); **S. 42** Benedetta Cappa Marinetti, *Synthese der Funk-Kommunikation* (Detail), 1933–34, Palazzo delle Poste, Palermo. Mit frdl. Gen. Archivio Storico di Poste Italiane. Foto AGR/Riccardi/Paoloni. © Benedetta Cappa Marinetti, mit Erlaubnis der Erben von Vittoria Marinetti und Luce Marinetti; **S. 74** Carol Rama, *Appassionata*, 1943, Privatsammlung, Turin (Detail von S. 103); **S. 106** Helen Frankenthaler, *Mountains and Sea*, 1952, Helen Frankenthaler Foundation, New York (Detail von S. 110); **S. 132** Amalia Pica, *A ∩ B ∩ C*, 2013, mit frdl. Gen. der Künstlerin und Hauser & Wirth (Detail von S. 163)

Zitate: S. 9 Ann Sutherland Harris und Linda Nochlin, *Women Artists, 1550–1950* (New York 1976), S. 120; **S. 42** William B. Breuer und Fereydoun Hoveyda, *War and American Women: Heroism, Deeds, and Controversy* (London 1997), S. 14; **S. 75** Lucy Lippard, *From the Center: Feminist Essays on Women's Art* (New York 1976), S. 139; **S. 107** Joan Marter (Hrsg.), *Women of Abstract Expressionism* (New Haven 2016), S. 160; **S. 133** Martha Rosler, »Art and Everyday Life«, Vorlesung an der Lisbon Summer School for the Study of Culture, 2014. Abgerufen 5. Oktober 2018: https://lisbonconsortium.com/summer-school/iv-lisbon-summer-school-for-the-study-of-culture/